INFINITE

DRAW'R

BYD

ARHOSFAN YM MHEN DRAW'R BYD

DAN ANTHONY

addasiad
Ioan Kidd

lluniau gan
Huw Aaron

*Mae Rhys yn dweud bod bron popeth
sy'n digwydd yn y stori hon yn wir.*

Gomer

Cyhoeddwyd gyntaf yn 2019 gan Wasg Gomer,
Llandysul, Ceredigion SA44 4JL
www.gomer.co.uk

ISBN 978 1 78562 258 8

Cyhoeddwyd gyda chymorth ariannol
Cyngor Llyfrau Cymru.

Datblygwyd yr addasiad gyda chefnogaeth a chydweithrediad Head4Arts
(TwLetteratura Caerffili).

Diolch i ddisgyblion ac athrawon Blwyddyn 5 Ysgol Cwm Gwyddon,
Abercarn; Ysgol Penalltau, Ystrad Mynach ac Ysgol Trelyn, Y Coed Duon
am eu cyngor a'u hysbrydoliaeth.

Argraffwyd a rhwymwyd yng Nghymru gan
Wasg Gomer, Llandysul, Ceredigion SA44 4JL

1 Y losin coch

BOB DYDD byddai Siôn yn rhoi losin coch i Rhys. Doedd Rhys ddim yn gallu cofio pryd yn union y dechreuodd yr arfer hon. Ond roedd un peth yn sicr: os mai diwrnod ysgol oedd e, fyddai ei dad ddim yn gadael iddo fynd o'r tŷ heb roi losin coch iddo a fyddai Rhys ddim yn mynd heb gymryd un.

Dilynodd Rhys y ffordd o'r bwthyn ar hyd y Lôn Droellog, gan sugno'r losin. Pan gyrhaeddodd e ben draw'r lôn croesodd e'r Ffordd Fawr a mynd i sefyll yn yr arhosfan. Gadawodd i'r losin lithro o gwmpas ei geg wrth iddo graffu ar y ffordd wag yn ymestyn tua'r Bryniau Corslyd i weld a gâi gip ar y 971. Doedd dim bws. Roedd e'n gynnar. Caeodd ei lygaid a rhoi ei holl sylw ar y losin yn ei geg. Sleifiodd flaen ei dafod ar hyd y lympiau bach anwastad ar hyd-ddo. Teimlai fel craig anferth â thyllau arni. Teimlai fel y lleuad yn ei geg.

Yn sydyn, tarfwyd ar Rhys pan deimlodd e law ar ei gefn.

Trodd ar ei sawdl. Doedd e ddim wedi gweld na chlywed neb yn cyrraedd yr arhosfan. Doedd neb byth yn dod yno. Roedd arhosfan Rhys yng nghanol unman. Ar un ochr i'r ffordd roedd y caeau'n llithro'n raddol i lawr tua'r clogwyni a'r môr ac ar yr ochr arall roedden nhw'n codi, heibio'r bwthyn a'r fferm tuag at yr Hen Fynyddoedd. Fe oedd yr unig un fyddai byth yn dal bws o'r arhosfan hwnnw.

Yno o'i flaen safai dyn yn gwisgo hen drowsus pinstreip, gwregys mawr, crys siec a het â chantel llydan. 'Rwyt ti'n edrych fel bachgen da,' meddai.

Pesychodd Rhys a dechrau tagu. Roedd yr ergyd ysgafn ar ei gefn wedi gwneud iddo lyncu ei losin coch.

'Ond ai dyna wyt ti?' gofynnodd y dyn, gan syllu ar y clogwyni yn y pellter lle roedd y llong fferi'n gwthio ei thrwyn allan i'r môr glas fel petai'n chwilio am rywbeth.

'Beth ydych chi'n feddwl?' gofynnodd Rhys.

'Y math o fachgen sy'n cadw ei lygaid a'i glustiau ar agor ac sy'n sylwi ar bethau,' atebodd y dyn gan wincio.

'Dw i ddim yn dda iawn yn yr ysgol, os taw dyna chi'n feddwl,' meddai Rhys.

'Galla i weld dy fod ti'n gwisgo'r wisg ysgol,' meddai'r dyn, gan edrych ar y crys chwys newydd a wisgai Rhys ym Mlwyddyn 7. 'Mae hynny'n ddechrau da.'

Syllodd Rhys yn ôl ar y dyn. Roedd e o bosib ychydig yn hŷn ac ychydig yn fyrrach na'i dad. Roedd ganddo aeliau blewog trwchus, llygaid brown tywyll mawr, mwstásh du tew a blewiach ar ei ên fel pupur du ar bwdin reis. Roedd e'n edrych yn debyg i gowboi.

· 'Rwyt ti wedi dewis llecyn bach hyfryd,' meddai'r dyn.

Cododd Rhys ei ysgwyddau. Nid fe oedd wedi dewis yr arhosfan mewn gwirionedd, ond fel arall, meddyliodd. Yr arhosfan oedd wedi ei ddewis yntau. Ble arall roedd e i fod i ddal y bws i'r ysgol?

'Wyt ti'n dal y bws bob dydd?' gofynnodd y dyn.

'Bob dydd,' atebodd Rhys. 'Weithiau bydda i jest yn dod 'ma beth bynnag.'

'Pam wyt ti'n gwneud hynny?' gofynnodd y dyn.

'Dw i ddim yn gwbod,' meddai Rhys. 'Dw i'n hoffi dod 'ma. Dw i'n nabod llawer o'r gyrwyr bysiau. A dw i'n gwbod yr amserau. Dw i'n gwbod amserau'r awyrennau hefyd.'

'Da iawn,' meddai'r dyn ac edrych i fyny ar y llwybrau anwedd a adawyd gan y jetiau ar draws yr awyr wanwynol, las. 'Dw i eisiau iti wneud cymwynas â fi.'

'Beth?' gofynnodd Rhys, gan godi ei fag plastig; gallai weld yr heulwen yn fflachio oddi ar do glas golau'r 971 yn y pellter wrth iddo ymwthio i lawr yr Ail Riw.

'Mae'n rhaid imi fynd nawr. Ond mae gen i ffrind – mae e'n dalach na fi ac yn gwisgo tei licoris a sgidiau sodlau Ciwbaidd,' meddai'r dyn. 'Wyt ti'n gwbod beth yw sodlau Ciwbaidd?'

'Nac ydw,' meddai Rhys.

'Maen nhw'n fawr ac mae'r sgidiau'n bigfain,' eglurodd y dyn.

'Cowboi go iawn, felly, nid fel chi,' meddai Rhys.

'Ei enw fe yw Doc – Doc Penfro. Tria ddod i'w nabod e, gofyn iddo beth yw ei enw.'

Roedd y bws yn dod yn nes.

'Mae'n rhaid imi fynd ar y bws; dw i ddim yn gallu cicio sodlau fan hyn – rhai Ciwbaidd ai peidio – yn gwrando arnoch chi.'

'Dwed wrtho fe dy fod ti wedi cwrdd â fi a 'mod i wedi rhoi'r neges hon iti,' meddai'r dyn.

'Pwy ydych chi? Beth yw'r neges?' gofynnodd Rhys, gan symud yn nerfus o droed i droed. Gallai weld y bws yn glir erbyn hyn – roedd e wedi cyrraedd pen y Rhiw Gyntaf ac yn dod ar ras wyllt i lawr tuag at ei arhosfan. Roedd hi bron â bod yn bryd iddo godi ei law i'w stopio.

'Dwed wrtho fe eu bod nhw wedi cyrraedd,' meddai'r dyn. 'A dwed wrtho hefyd dy fod ti wedi cwrdd â'r Kid.'

Cododd Rhys ei law a chwifio ar y bws. Doedd e ddim yn gwybod a fyddai'r bws yn stopio fel arall. Gwell bod yn ofalus, rhag ofn, meddyliodd. Y bws nesaf i ddod heibio fyddai'r 872 i Hwlffordd. A doedd hwnnw ddim yn mynd yn agos at ei ysgol.

Arafodd y bws a dod i stop a dyma'r gyrrwr, Mr Dickinson, yn ei gyfarch trwy ganu'r corn yn gyfeillgar. 'Bore da, Rhys,' gwaeddodd e wrth i'r drysau niwmatig hisian ar agor. Camodd Rhys ar fwrdd y cerbyd, gan droi i siarad â'r dyn a oedd wedi rhoi'r neges iddo.

Ond wrth i'r drysau gau'n glep ni allai Rhys ei weld. Roedd hi fel pe na bai erioed wedi bod yno.

2 Anwen Beic

CAMODD RHYS oddi ar y bws am hanner awr wedi pedwar. Bu'n sgwrsio â Gloria Harris; hi yn aml fyddai'n gyrru'r bws ysgol yn y prynhawn. Byddai Rhys bob amser yn eistedd yn y pen blaen. Roedd e'n hoffi gweld yr holl bethau roedd y gyrwyr yn gallu eu gweld. Roedd e'n hoffi gwylio'r sbido ar y panel deialau; roedd e'n hoffi edrych yn y drychau ac roedd e'n hoffi cadw ei lygad ar y ffordd, gan ddychmygu mai ei ddwylo ei hun oedd wrth y llyw mawr. Llwybr y 971 oedd hwn ond 24 oedd y rhif ar y bws ac roedd hynny'n meddwl mai rhif 24 oedd e yn fflyd y Brodyr Williams. Volvo City Bus oedd e. Fel arfer, bydden nhw'n rhoi hwnnw i deithio'n ôl ac ymlaen i Abertawe, ond roedd e wedi cael ei ddargyfeirio oherwydd bod y bws gwledig arferol, rhif 37, yn y depo yn cael ei drwsio. Byddai Rhys wastad yn gofalu gofyn i'r gyrwyr beth oedd yn digwydd yn y depo.

'Hwyl tan fory, fy machgen i,' gwaeddodd Gloria wrth i Rhys neidio oddi ar y bws.

Gwyliodd y 971 yn rhuo i fyny'r Rhiw Gyntaf. Doedd arno ddim tamaid o awydd cerdded yn ôl ar hyd y Lôn Droellog at y bwthyn. Croesodd y ffordd i'r arhosfan a dechrau chwarae â cherrig ar y llawr. Roedd yn brynhawn heulog. Roedd y caeau o'i gwmpas yn llawn ŵyn ar eu prifiant ac roedd y cloddiau'n dechrau blaguro â dail a blodau'r gwanwyn. Uwch ei ben, gallai weld olion gwyn y jetiau'n llinellu ar draws yr awyr las o Lundain i America, pob un yn gwibio ar hyd llwybr hedfan Pen Caer, cyn bwrw yn eu blaenau heibio Iwerddon ac allan ar draws Môr Iwerydd. Pen Caer, y man y byddai peilotiaid y jetiau'n ei ddefnyddio i nodi ble roedd Ynys Prydain yn gorffen a'r môr yn dechrau, oedd lle safai arhosfan Rhys. Roedd arhosfan Rhys dan un o'r llwybrau hedfan prysuraf yn y byd, yng nghanol unman ym mhen draw gorllewin Cymru. Y tu mewn i'r arhosfan roedd hi mor gynnes â thŷ gwydr; eisteddodd Rhys ar y llawr er mwyn chwarae â'r cerrig.

Yn sydyn, torrwyd ar ei draws gan sŵn breciau'n sgrechian. Anwen, y ferch o'r fferm lle roedd bwthyn Rhys a'i dad, oedd yn sgidio i stop ar ei beic.

'Be ti'n neud, Rhys?' gofynnodd Anwen Beic.

Edrychodd Rhys arni o'r tu mewn i'r arhosfan. 'Dim byd o bwys.'

'Mae'n edrych yn fwy na dim byd i fi,' meddai Anwen gan gamu oddi ar ei beic ac i mewn i'r arhosfan. Syllodd i lawr ar y cerrig mân ar y llawr concrid. Gallai weld bod rhyw fath o batrwm iddyn nhw.

'Chwarae â cherrig wyt ti, ie?' gofynnodd hi.

Cododd Rhys ei ysgwyddau. Roedd yn gas ganddo feddwl ei bod hi wedi gweld trwyddo; gwyddai ei fod e'n rhy hen i chwarae fel bachgen bach. 'Nage,' meddai. 'Beth yw'r ots?' gofynnodd.

Dododd Anwen ei throed ar y cerrig crwn a gawsai eu trefnu'n ofalus gan Rhys gyferbyn â'r fflochiau o raean a tharmac.

Roedd Anwen yn hŷn na Rhys. Roedd hi wedi byw ar y fferm ar hyd ei hoes ac roedd hi'n gwybod popeth ac yn adnabod pawb. Dim ond ers ychydig fisoedd roedd Rhys wedi bod yn y bwthyn. Fyddai Anwen byth yn mynd ar y bws; âi i bobman ar ei beic. Roedd Rhys ym Mlwyddyn 7. Roedd Anwen ym Mlwyddyn 9.

'Pwy yw'r rhain?' gofynnodd hi, gan symud ei throed oddi wrth y cerrig bach llyfn gwyn yn ôl i'r graean.

'Nhw yw'r gwrthryfelwyr,' eglurodd Rhys.

'Beth yw gwrthryfelwr?' gofynnodd Anwen.

'Y Taliban,' meddai Rhys. Nodiodd ar y cerrig crwn. 'Gwersyll Bastion yw hwnna. Yn fan 'na rydyn ni.'

Edrychodd Anwen i lawr ar Rhys a gwenu. 'Dwyt ti ddim hanner call.'

Penliniodd Rhys ar y llawr a dododd y cerrig yn ôl yn eu lle iawn. 'Gofala fod ti ddim yn eu sarnu nhw,' meddai.

'Pam byddwn i am wneud hynny?' gofynnodd Anwen, gan gerdded allan o'r arhosfan a chodi ei choes dros sedd ei beic. 'Wyt ti eisiau lifft adre?'

'Nac ydw, mae'n iawn,' atebodd Rhys.

'Rhyngot ti a dy bethau,' meddai Anwen. 'Wela i di fory.'

Gadawodd Anwen ar gefn ei beic. Un denau oedd hi ond yn gryf, a gallai fynd am filltiroedd ar y beic hwnnw.

Eisteddodd Rhys ar lawr yr arhosfan a dechreuodd symud y cerrig o gwmpas. Pan oedd e'n fodlon bod ei filwyr wedi cael eu gosod yn iawn cododd ar ei draed, brwsiodd y llwch oddi ar ei drowsus a cherddodd at ochr y ffordd.

Roedd yr haul yn disgyn yn isel yn y gorllewin ac roedd y tymheredd yn gostwng. Ym mhobman o'i amgylch, gallai Rhys glywed yr adar yn clwydo yn y coed a'r llwyni. Roedden nhw'n swnio fel tân yn clecian. Hedfanodd brân uwch ei ben a dod i eistedd ar do'r arhosfan. Roedd Rhys wedi sylwi ar yr aderyn o'r blaen. Roedd fel petai'n hoffi'r arhosfan.

'Ar beth wyt ti'n edrych?' gofynnodd Rhys. Fyddai'r bws nesaf, y 479 i Aberteifi, ddim yn cyrraedd am awr arall. Doedd dim byd o'i le ar siarad yn uchel. Doedd neb yno i chwerthin am ei ben.

Trodd yr aderyn ei ben ac edrych i ffwrdd.

'Paid â siarad â brain,' meddai llais tyner.

Neidiodd Rhys. Trodd ar ei sawdl. Rhywsut doedd e ddim wedi gweld y fenyw yn y got wlân frown a het wlân frown yn sefyll wrth ochr clawdd cerrig y cae ar bwys y glwyd fetel. Camodd hi tuag ato o ganol y cysgodion a oedd yn dechrau ymestyn.

'Dw i ddim wedi dy weld ti o'r blaen,' meddai hi.

'A dw inne ddim wedi'ch gweld chithe,' meddai Rhys, gan feddwl bod llawer iawn o bobl yn ymweld â'i arhosfan yn sydyn reit. Gwyddai i sicrwydd nad oedd y fenyw hon, nad oedd i bob pwrpas yn ddim byd mwy na chot wlân dan het wlân, erioed wedi bod wrth yr arhosfan o'r blaen.

'Dw i'n disgwyl am y 479,' esboniodd.

'Fydd e ddim yma am awr arall,' meddai Rhys a dechrau croesi'r ffordd.

'Aros eiliad,' meddai'r fenyw.

Camodd Rhys yn ôl oddi ar y ffordd wag ac aeth i sefyll ar y llain o wair wrth ochr yr arhosfan.

'Y frân 'na,' meddai'r fenyw yn y got. Trodd ei phen tuag at y creadur. 'Paid â dweud dim byd wrth yr aderyn 'na.'

'Pam?' gofynnodd Rhys.

'Gwranda, paid! Gorau po leiaf mae'r frân yn ei wbod.'

Nodiodd Rhys, yna croesodd y ffordd a cherddodd at y Lôn Droellog â'i pherthi uchel o ddraenen wen yn ymwthio o'r cloddiau cerrig. Pan oedd e'n siŵr na allai'r fenyw ei weld, rhedodd e adref nerth ei draed.

3 Y losin gwyrdd

FYDDAI SIÔN byth yn rhoi losin coch i Rhys ar ddydd Sadwrn. Dywedodd Siôn ei bod yn anlwcus peidio â rhoi rhywbeth i'w fab ar ddyddiau 'dim ysgol'. Felly penderfynodd roi losin gwyrdd iddo yn lle hynny. Byddai pob dydd Sadwrn wastad yn dechrau gyda losin gwyrdd. Roedd hyn fel golau gwyrdd i Rhys, yn arwydd ei fod e'n rhydd rhag yr holl bethau drwg yn yr ysgol.

O bryd i'w gilydd, byddai Siôn yn mynd â Rhys i'r dref ac, ar ôl siopa, bydden nhw'n bwrw yn eu blaenau i'r dafarn lle byddai Siôn yn yfed cwrw ac yn sgwrsio â Neville. Byddai Rhys yn eistedd wrth y ffenest yn yfed côc ac efallai'n chwarae gyda Sheba, ci labrador Neville. Neville oedd perchennog y dafarn; weithiau byddai'n rhoi plataid o sglodion i Rhys, gan gymryd arno nad oedd neb wedi ei weld yn eu dwyn nhw o'r gegin. Roedd Rhys yn meddwl bod hyn yn ddoniol iawn, oherwydd bod Neville yn dwyn y sglodion oddi arno fe ei hun a neb arall.

Ambell ddydd Sadwrn, byddai Siôn yn mynd i'r dref ar ei ben ei hun, gan adael Rhys i ofalu am y tŷ.

Yr wythnos hon fu'r wythnos waethaf hyd yn hyn. Fyddai Rhys byth yn sôn am yr ysgol wrth Siôn, achos gwyddai y byddai ei dad yn gwylltio ac yn mynd o'i gof. Dim ond tri neu bedwar o fechgyn oedd yn ei fwlian – criw Connor Collins yn bennaf. Ond roedd hynny'n iawn, achos fel arfer gallai Rhys weld o bell ble roedden nhw a byddai'n cadw draw oddi wrthyn nhw. Doedd e ddim yn adnabod y plant eraill yn dda am ei fod e mor newydd. Roedd pawb yn ei ddosbarth yn ei alw'n Rhysi-boi – doedd e ddim yn gwybod pam; doedd neb fel petai'n gwybod y rheswm. Petai rhywbeth yn codi yn ystod gwers a neb yn gwybod yr ateb bydden nhw'n dweud: 'Gofynnwch i Rhysi-boi!' A byddai'r athro – a oedd yn meddwl mai jôc dda oedd hyn – yn gofyn i Rhys a byddai hwnnw'n rhoi rhyw fath o ateb, a byddai'r athro'n gwenu ac yn dweud ei fod yn anghywir neu'n hollol ryfedd. Ac yna byddai pawb yn chwerthin. Weithiau byddai Rhys yn chwerthin hefyd am nad oedd e'n siŵr a ddylai chwerthin ai peidio. Doedd dim byd doniol iawn byth yn digwydd yn yr ysgol.

Ddydd Gwener, cafodd ei roi yng ngrŵp llythrennedd Miss Caradog er mwyn cael mwy o help gyda'i ddarllen. Byddai'n rhaid iddo fynd i'r fan honno o hyn ymlaen yn lle'r dosbarth Celf gyda Miss Morgan, yr unig wers roedd e'n ei hoffi go iawn. Pan aeth e'n ôl i'r dosbarth dywedodd Connor Collins na allai Rhys hyd yn oed ddarllen ei enw ei hun a chwarddodd pawb unwaith eto.

Roedd Siôn wedi mynd i'r dref; cyrhaeddodd Rhys ben draw'r Lôn Droellog. Y tro yma edrychodd Rhys yn ofalus i bob cyfeiriad cyn camu allan o'r lôn. Hwpodd ei ben allan o'r tu ôl i glawdd cerrig y cae a gwylio'r ffordd. Roedd hi'n wag. Sugnodd ar ei losin. Doedd neb i'w weld yn unman. Gorweddai'r tarmac fel afon ddistaw o'i flaen. Croesodd Rhys y ffordd a chamu i mewn i'r arhosfan. Fel hyn roedd e wedi ei adael; roedd y milwyr wedi cael eu gosod mewn safleoedd amddiffynnol ar gyfer dyletswydd nos. Roedd y rhan fwyaf o'i fyddin wedi ei threfnu mewn sgwâr taclus y tu mewn i Wersyll Bastion. Yma ac acw, ar dir uchel ac mewn ffosydd, roedd e wedi rhoi ei saethwyr cudd gorau â'u geriach nos. Ychydig y tu allan i'r gwersyll, roedd e wedi gosod cerbydau arfog â chuddliw drostyn nhw, yn barod i fynd petai 'na ymosodiad sydyn. Roedd y gwrthryfelwyr wedi eu gwasgaru yn y bryniau a'r caeau o gwmpas. Eu pwrpas oedd denu ei filwyr allan o'r gwersyll; doedden nhw ddim ar fin ymosod yn syth ac yn llwyr.

Ond pan gamodd Rhys i mewn i'r arhosfan ac edrych ar y cerrig ar y llawr, gwelodd fod rhywbeth rhyfedd wedi digwydd. Roedd y cerrig yn gymysg oll i gyd ac yn gorwedd mewn patrwm newydd. Edrychai fel chwyrlïad cragen malwoden gyda'r cerrig gwyn yn y canol a'r rhai miniog ar yr ymyl. Roedd rhywun wedi eu symud. Wrth i Rhys eu rhoi nhw'n ôl yn union fel roedden nhw o'r blaen, dychwelodd y frân. Gallai Rhys weld yr aderyn yn eistedd yr ochr arall i'r ffordd ac yn edrych fel petai'n cadw llygad arno drwy'r amser. Siaradodd Rhys â'i ddynion; dywedodd wrthyn nhw am fynd yn ôl i'w hen drefn.

'Welsoch chi rywbeth?' gofynnodd.

Gwylio'r cyfan wnâi'r frân.

'Mi feta i taw'r hen fenyw 'na yn y got wlân wnaeth hyn,' mwmiodd Rhys. 'Y Wraig Wlanog.'

Aeth i nôl ychydig o frigau bach. Wrth iddo chwilota yn ymyl y glwyd i'r cae sylwodd ar y defaid a'r ŵyn yn pori yr ochr draw. Roedd un ohonyn nhw, un ddu, fel petai'n ei wylio, yn union fel y gwnâi'r frân. Symudodd tuag ato. Yn y diwedd, daeth y ddafad mor agos at Rhys fel y gallai hwnnw fod wedi gwthio'i law trwy'r rheiliau metel ac anwesu trwyn yr anifail. Doedd hynny ddim mor anghyffredin; treuliai Rhys gymaint o amser wrth yr arhosfan fel bod yr anifeiliaid wedi dod i'w adnabod. Gwelsai lawer o'r ŵyn yn cael eu geni allan ar y cae. Un tro, gwelsai ddafad gyfoen yn gorwedd ar y gwair yn brefu – yn llefain, meddyliodd – ac roedd dwy neu dair o'r mamau eraill wedi dod i sefyll gyda hi. Felly rhedodd e bob cam o'r ffordd i'r fferm i nôl tad Anwen a daeth hwnnw i lawr a helpu'r ddafad i ddod â'r efeilliaid i'r byd. Dywedodd y bydda Rhys yn gwneud ffermwr da.

Ond doedd Rhys ddim eisiau bod yn ffermwr. Roedd e eisiau bod yn filwr.

Roedd Rhys wedi casglu llond llaw o frigau bach da. Cnôdd y ddafad ddu a'i wylio.

'Wyt ti'n gwbod beth yw hanes y frân?' gofynnodd e i'r ddafad.

Edrychodd yr anifail arno â'i lygaid rhyfedd a bwyntiai tua'r ochr, ac yna edrychodd ar y frân, gan lithro'i geg o ochr i ochr.

'Y fenyw 'na, yr un wnaeth symud y cerrig … dywedodd honna wrtha i na ddylwn i siarad â'r frân,' meddai Rhys. 'Wel dyna beth twp! Dim ond aderyn yw e.'

Symudodd y ddafad fymryn yn nes, gan wasgu ei thrwyn trwy'r glwyd. Roedd ei llygaid dieithr fel petaen nhw'n llosgi trwy Rhys.

'Dw i'n gwbod,' meddai Rhys, 'a dim ond dafad wyt ti. Mae'n flin gen i.'

Yna gwnaeth y ddafad ddu rywbeth rhyfedd. Dyma hi'n rhoi'r gorau i gnoi a dechreuodd ffroeni'r llawr. Cododd frigyn bach marw a oedd wedi cwympo oddi ar y clawdd. Cerddodd yn ei blaen gam neu ddau a'i ollwng ar y llawr. Yna daeth o hyd i frigyn arall a'i roi wrth ochr yr un cyntaf, yna un arall.

Gwyliodd Rhys y ddafad. Roedd fel petai'r anifail yn ceisio dweud rhywbeth wrtho, meddyliodd. Roedd e'n creu patrwm gyda'r brigau, fel y cerrig.

'Wyt ti'n trio siarad?' gofynnodd Rhys yn syn.

Dal i wylio'r cyfan a wnâi'r frân.

Roedd Rhys yn dechrau cael llond bol o'r frân.

Daeth bws i stop o flaen yr arhosfan. Trotiodd y ddafad i ffwrdd a brysiodd Rhys yn ôl i'r arhosfan gyda'i frigau bach. Cododd ei law ar y gyrrwr, Dai Morris, a eisteddai ym mhen blaen y 772 i Hwlffordd. Agorodd y drysau a daeth dyn i lawr y grisiau. Roedd e'n dal, gwisgai het gowboi ac roedd sodlau mawr ar ei esgidiau uchel. Yn ei law roedd bag a hwnnw wedi ei wneud o ddefnydd carped â chlesbyn metel arno.

Canodd Dai ei gorn ar Rhys a gyrrodd bant. Brasgamodd y dyn o amgylch yr arhosfan, yna stopiodd a syllu draw tuag at y môr.

'Dyna olygfa fendigedig sy gen ti fan hyn, fy machgen i,' meddai'r dyn, gan sugno ei fochau i mewn wrth iddo lenwi ei ysgyfaint ag awyr o'r môr. 'Does dim yn well na gwynt iach y cefnfor,' meddai.

'Ai chi yw Doc Penfro?' gofynnodd Rhys.

'Digon posib,' atebodd y dyn, gan godi blaen ei het â'i fawd ac edrych i lawr ar Rhys. 'Pwy sy'n gofyn?'

'Rhys,' meddai Rhys.

'Rhys bach, ife?' meddai Doc.

'Ie, siŵr o fod,' meddai Rhys. 'Pam 'te, oes 'na un mawr hefyd?'

'Ai dy arhosfan di yw hwn?' gofynnodd y dyn.

'Siŵr o fod,' meddai Rhys. Trwy gil ei lygad, gwelodd e'r frân yn ysgwyd ei hadenydd ac yn hedfan ar draws y ffordd cyn glanio ar do'r arhosfan. Heb feddwl ddwywaith, taflodd Rhys un o'i frigau at yr aderyn, gan wneud iddo ysgwyd ei adenydd eto a symud ymhellach i ffwrdd. 'Mae gen i neges,' meddai'n dawel.

'Does gen i ddim amser i chwarae fel hyn,' meddai'r dyn, a dechreuodd gerdded bant oddi wrth yr arhosfan i gyfeiriad y dref, ei fag o ddefnydd carped yn siglo wrth ei ochr.

'Arhoswch,' gwaeddodd Rhys.

Stopiodd y dyn, trodd yn araf ac aeth yn ôl i'r un man ag o'r blaen. 'Beth sy'n dy bigo di, fy machgen i?'

'Mae gen i neges oddi wrth rywun o'r enw Kid,' meddai Rhys.

'Coesau byr, het dwp a mwstásh fel pâr o adenydd colomen?'

'Ie, dyna fe … dw i'n credu ta beth,' meddai Rhys.

'Kid Welly o Gydweli. Dw i'n synnu dim taw fe oedd yr un cyntaf i gyrraedd. Beth ddywedodd e?'

Edrychodd Rhys o'i gwmpas. Trawodd gip ar y coed. Roedd y frân wedi setlo ryw gan metr a mwy i ffwrdd mewn draenen wen a gawsai ei phlygu gan y gwynt o'r môr.

'Dw i ddim yn gallu siarad yn uchel,' meddai Rhys.

'Wel siarada'n dawel 'te,' meddai Doc. Gwyrodd yn ei flaen, gan wthio ei het yn ôl ar ei ben fel bod ei wyneb yn agos at wyneb Rhys. Roedd y blew ar ei wyneb esgyrnog yn ymwthio allan fel pigau cactws ac roedd ei anadl yn ddwrllyd â gwynt cwrw arni.

'Mae Kid yn dweud: "Maen nhw wedi cyrraedd",' meddai Rhys.

Nodiodd Doc Penfro. Ymsythodd i'w lawn daldra, gan edrych yn ddwys ar hyd yr arhosfan. 'Diolch, fy machgen i,' meddai. 'Wela i di 'to.'

Dechreuodd Doc gerdded i ffwrdd. Rhedodd Rhys ar ei ôl. 'Ydych chi eisiau i fi wneud rhywbeth?' gofynnodd Rhys.

'Beth sy 'na i'w wneud?' Yna, cyn brasgamu yn ei flaen, dywedodd Doc: 'Wel, mae 'na un peth, os wyt ti eisiau helpu o ddifri. Os gweli di Kid Welly eto, dwed wrtho fy mod i'n barod i wneud fel y gwelith orau.'

Gwyliodd Rhys wrth i Doc ddiflannu o'r golwg, a sodlau ei esgidiau sgleiniog yn taro'r tarmac gyda phob cam. Yna cofiodd e'r brigau. Roedd e'n hoffi eu gwthio nhw i mewn i'r ddaear o gwmpas yr arhosfan, ac yna byddai'n eistedd â'i gefn at ochrau allanol yr arhosfan a cheisio bwrw'r brigau â darnau o'r graean. Roedd e fel ymarfer saethu. Doedd bron â bwrw brigyn ddim yn ddigon da – roedd yn rhaid ei fwrw go iawn cyn gallu symud ymlaen at y nesaf. Dim ond ar ôl bwrw pob un o'r brigau y byddai'n gadael iddo'i hun fynd adref. Fel arfer, byddai'n cymryd oriau i daro'r targed olaf un, yr anoddaf.

4 Diwrnod i'r brenin

ROEDD POB dydd Sul yn ddiwrnod i'r brenin yng nghartref Rhys. Siôn luniodd y rheol honno. Golygai nad oedd yn rhaid dechrau gyda losin am fod unrhyw beth yn bosib ar ddiwrnod i'r brenin. Gallai fod yn fag o greision neu'n degan – unrhyw beth. Y dydd Sul yma, fel pob dydd Sul arall, roedd cinio rhost yn y Cadfridog Picton. Dim ots beth ddigwyddai ar ddiwrnod i'r brenin, fydden nhw byth yn colli cinio dydd Sul yn nhafarn y Cadfridog Picton. Roedd Rhys yn hoff iawn o ginio dydd Sul. Cinio cig eidion gyda phwdin Efrog a grefi fyddai hi bob tro yn y dafarn. Yn ôl Siôn, dim ots ble roeddet ti yn y byd, roeddet ti wastad yn gorfod cael cinio dydd Sul. Byddai gwneud fel arall yn anlwcus; byddai fel mynd heb losin coch neu losin gwyrdd, a byddai hynny'n hollol wallgof.

Roedd y ffordd yn dawel. Pigai'r frân y llawr o gwmpas yr arhosfan. Sleifiodd ambell gar yn araf ar hyd y ffordd. O ryw fan pell i ffwrdd i lawr yn ymyl y dref, dyma gar Rover 45 coch yn dod i'r golwg, gan gripian i fyny'r Rhiw Serth a godai heibio'r ysgol ac ymlaen at yr arhosfan. Daeth i stop cyn cyrraedd yr arhosfan, ychydig cyn y Lôn Droellog. Y tu mewn i'r car, eisteddai Siôn wrth y llyw, gan ganu i gyfeiliant un o'r hen dapiau a chwaraeai ar beiriant casét y car. Eisteddai Rhys wrth ei ochr. Doedd dim ots ganddo fod y peiriant casét mor hen, ond roedd y tapiau roedd ei dad yn eu hoffi yn ei yrru fe'n wallgof. Ar hyd y dashfwrdd roedd hen flychau llychlyd ac arnyn nhw luniau gwelw a oedd wedi pylu yn yr haul. Lluniau o hoff ganwr ei dad oedden nhw: Elvis.

'Are you lonesome tonight?' sgrechiodd Siôn.

Ceisiodd Rhys gau ei glustiau rhag y sŵn. Roedd yn gas ganddo Elvis Presley. Byddai ei dad wastad yn canu ei ganeuon ar ôl bod yn yfed gormod o ganiau o gwrw. Roedd y sŵn yn ofnadwy.

Pan oedden nhw yn y dafarn yn bwyta eu cinio rhost sylwodd Rhys fod Doc Penfro yn eistedd ar ei ben ei hun wrth fwrdd yn y gornel yn ymyl y tân. Wrth y bwrdd nesaf, roedd dyn yn dweud jôc ar ôl jôc wrth ryw fenyw ac roedd hi'n chwerthin nerth esgyrn ei phen, gan gicio esgidiau'r dyn â'u sandalau o dan y bwrdd. Yr esgidiau hyn aeth â sylw Rhys. Ychydig ymhellach i ffwrdd oddi wrth y traed prysur roedd

pâr o sodlau Ciwbaidd mawr. Ar y dechrau, gobeithiai
Rhys nad oedd Doc wedi ei weld e, felly closiodd at ei
dad. Ond wrth i Rhys daflu cip bach sydyn draw tuag
ato, dyma Doc yn codi ei olygon oddi ar ei ddysglaid
o gawl a wincio. Tynnodd Rhys wep ac ysgwyd ei ben,
gan geisio rhybuddio Doc i gadw draw a pheidio â dod
i ddweud helô. Nodiodd Doc a dipiodd ddarn o fara yn
ei fwyd. Am ryddhad! Dal ati i siarad wnaeth ei dad, am
y fyddin yn bennaf – gan sôn wrth Rhys a Neville wrth
y bar am yr holl lefydd rhyfedd a rhyfeddol lle roedd e
a'i fêts wedi cael cinio dydd Sul.

'Does dim angen neb arall arnon ni, Rhys bach, nag
oes?' meddai Siôn wrth iddo dynnu darn o fara trwy'r
grefi ar ei blât. 'Ti a fi yn erbyn y byd yw hi.'

Edrychodd Rhys ar ei dad: ar ei wallt cwta, cwta'n
dechrau teneuo, ei grys-T gwyrdd a oedd wedi mynd
yn rhy dynn iddo a'r tair pluen a oedd wedi eu tatŵo
ar ei fraich a'r rheini eisoes yn colli eu lliw. Meddyliodd
Rhys am eiliad. Os gwir hynny, mai rhyw fath o frwydr
oedd hi, gyda fe a'i dad yn erbyn pawb arall yn y byd,
roedd helynt o'u blaenau. Ceisiodd edrych yn hapus.

'Ie, Dad,' meddai gan stwffio llond fforc o datws
rhost i'w geg.

Agorodd drws y car, y drych bach hirgrwn ar yr ochr yn
fflachio yn yr heulwen, a neidiodd Rhys allan, ei fola'n

llawn cinio rhost, côc a hufen iâ. Llifodd llais Elvis dros y ffordd ac o amgylch yr arhosfan.

'Paid â bod yn hwyr,' gwaeddodd Siôn, gan blygu ar draws y sedd wag wrth ei ochr er mwyn dal y drws wrth i Rhys gamu yn ei flaen.

'Wyt ti'n siŵr fod ti ddim eisiau gwylio'r pêl-droed ar y teli?' ychwanegodd ei dad.

'Ydw,' atebodd Rhys.

Edrychodd e ar yr arhosfan.

'Beth yn y byd wyt ti'n wneud lawr fan hyn drwy'r amser, Rhys?' gofynnodd Siôn.

'Dim byd o bwys,' meddai Rhys.

Daeth y miwsig i ben. Gwasgodd Siôn y botwm ar y peiriant a thynnodd y tâp allan cyn ei droi drosodd a dechreuodd y miwsig unwaith eto. 'Mae'n hawdd gweld pam mae'n cael ei alw'n Frenin Roc a Rôl, on'd yw hi?' meddai Siôn.

'Ydy hi?' atebodd Rhys.

Tynnodd Siôn ddrws y car ynghau a throdd ar draws y ffordd ac i fyny'r lôn fach tuag at eu bwthyn.

Gwyliodd Rhys y Rover 45 – â 238,900 o filltiroedd ar y cloc – yn diflannu ar hyd y Lôn Droellog. Roedd y car mewn cyflwr perffaith ac yn dal i fynd fel y boi, a dim ond ambell smotyn o rwd oedd arno fe. Roedd yn enghraifft wych o beirianwaith a chawsai ei addasu'n arbennig ar gyfer Siôn. Roedd Rhys yn casáu'r ffordd y byddai rhai rhaglenni teledu yn gwneud sbort am ben eu Rover. Roedden nhw'n rhoi'r argraff mai hen racsyn oedd e. Ond gwyddai Rhys ei fod yn gar da a bod ganddo injan gryf nad oedd erioed wedi eu siomi. Yr un oedd y nifer o filltiroedd ar gloc car Rover ei dad â'r nifer o filltiroedd rhwng y Ddaear a'r Lleuad. Roedd eu Rover nhw wedi teithio mor bell i ffwrdd â'r Lleuad. Roedd ceir Lamborghini a Ferrari yn dda hefyd – ond doedden nhw ddim wedi cael eu gwneud i bara mor hir â'r Rover 45.

Cerddodd Rhys at yr arhosfan. Yn gyntaf i gyd, edrychodd i wneud yn siŵr bod y cerrig yn dal yn eu lle. Doedd dim patrymau ar y llawr y tro hwn. Edrychodd ar y frân. Roedd golwg flinedig arni. Curodd y frân ei hadenydd a mynd i eistedd ar y to. Brysiodd Rhys at y glwyd, ond roedd pob un o'r defaid wedi cael eu symud i gae arall.

Meddyliodd Rhys am ei dad, a'r ffaith nad oedd e wedi sôn wrtho am Doc Penfro a Kid Welly. Byddai ei dad yn mynd yn grac am bethau yn aml: am y ffaith na allai weithio, am y ffaith nad oedd ganddo arian ac am beth fyddai'n digwydd i Rhys os nad oedd e'n gwneud yn well yn yr ysgol. Rhywsut, beth bynnag y byddai Rhys yn ei ddweud i geisio codi ei galon byddai Siôn wastad yn mynd o'i gof yn y diwedd ac yn rhegi nerth ei ben am ba mor annheg roedd popeth. Felly roedd Rhys wedi dysgu cadw ei geg ar gau.

Roedd y pethau oedd yn poeni Rhys yn wahanol i'r hyn oedd yn poeni Siôn. Yr hyn oedd yn poeni Siôn fwyaf oedd bod heb bethau: bod heb arian; y ffaith bod mam Rhys wedi mynd a'i adael e; bod heb waith; bod heb siawns deg; bod heb gar newydd; bod heb y lwc a oedd ganddo pan oedd e'n filwr. I Rhys, roedd y pethau hyn i gyd yn iawn: roedd e'n dwlu ar eu car; doedd dim ots ganddo nad oedden nhw'n gallu fforddio prynu dillad newydd iddo achos roedd yn gas ganddo siopa ta beth; doedd dim ots ganddo hyd yn oed fod ei fam wedi mynd, er iddo benderfynu beth amser yn ôl y byddai'n braf pe bai un ganddo, ond gwyddai mai un digon swil oedd ei dad, felly doedd fawr o obaith y câi un arall. Doedd Rhys ddim yn gweld eisiau ei fam am ei fod e mor fach pan adawodd hi, a doedd e ddim yn gallu ei chofio bellach. Roedd e'n hoffi helpu ei dad ac roedd e'n hoffi tin-droi wrth yr arhosfan; iddo fe, dyma'r pethau hawdd.

Y pethau mawr oedd yn poeni Rhys – dyna pam roedd e'n hoffi bod ar ei ben ei hun yn yr arhosfan. Roedd bod ar ei ben ei hun yn gwneud iddo deimlo'n saff. I Rhys, roedd y pethau oedd yn ei boeni'n syml. Yn y pen draw, dim ond un peth oedd yn ei boeni go iawn: ei fod e'n siom fawr i'w dad.

Doedd ganddo ddim ffrindiau, doedd ganddo fawr o glem ar y cae pêl-droed, ac roedd pob un o'i athrawon yn meddwl ei fod e'n fethiant llwyr am na allai hyd yn oed ddarllen. Yr unig beth fyddai ar ei feddwl yn yr ysgol oedd sut i ddod drwyddi orau bob dydd heb gwrdd â chriw Connor Collins. Roedd e'n siŵr bod ei dad eisiau iddo fod yn well nag oedd e. Weithiau, pan fyddai Siôn yn gweiddi arno, teimlai Rhys fod ei dad yn meddwl ei fod e ynghlwm wrtho am byth a bod Rhys, mewn gwirionedd, yn enghraifft arall o'i lwc ddrwg. Pan fyddai hyn yn digwydd byddai Rhys yn mynd i'r arhosfan.

Eisteddodd Rhys yn yr arhosfan a darllenodd yr amserlen ar gyfer dydd Sul. Dim ond un bws oedd yn rhedeg y prynhawn hwnnw – y 437 o Aberteifi.

Ceisiodd e beidio â meddwl am yr ysgol yfory. Roedd hi'n mynd i fod yn ofnadwy. Roedd e heb wneud ei waith cartref, roedd ei lyfrau'n anhrefn llwyr ac roedd Connor Collins a'i griw yn mynd i roi crasfa iddo os nad oedd e'n dod ag arian iddyn nhw. Doedd ganddo ddim arian a doedd dim arian gan ei dad chwaith.

Ar y dechrau, meddyliodd Rhys mai'r gwynt oedd wedi achosi sŵn y brigau'n torri. Yna trodd i edrych, gan feddwl efallai mai dafad oedd hi a hithau wedi mynd yn sownd mewn gwifrau ar ymyl y cae. Symudodd yn ei flaen i gael gwell golwg. Ni allai weld dim byd anghyffredin, ond yna daeth yn gliriach. Roedd rhywbeth yn y mieri a dyfai trwy glawdd cerrig y cae. Cymerodd eiliad i Rhys sylweddoli beth yn union oedd y siâp. Llaw ddynol oedd hi. Neu yn hytrach, roedd hi ychydig yn debyg i law ddynol, gan estyn ei bysedd gwyrdd, byr. Roedd hi'n erchyll, fel corryn neidraidd, tew. Ymwthiodd y llaw trwy'r mieri ac yna gwelodd Rhys fraich. Wedyn daeth corff cyfan i'r golwg a hwnnw'n gymysg i gyd ym mhren y clawdd. Ymgiliodd

Rhys i'r arhosfan, gan wylio mewn braw wrth i rywbeth lithro o gwmpas yn y clawdd.

'Dyw'r blincin peth ddim 'ma,' meddai'r creadur o'r clawdd.

Gyda chryn ymdrech, gwthiodd ei hun allan o'r clawdd a rholiodd ar y llawr. Roedd ei siâp yn debyg i ddyn, ond doedd e ddim talach na Rhys. Gwisgai hen siwt frown gyda gwair, pridd, mwsog a brigau drosti i gyd. Roedd ei wallt yn wyllt, yn hir ac yn frown. Roedd un o'i lygaid yn las a'r llall yn ddu. Roedd ei groen yn wyrddfelyn.

'Wyt ti wedi ei weld e?' gofynnodd y creadur, gan bigo pridd o'i ewinedd cwta â'i ddannedd melyn.

Camodd Rhys yn ei ôl unwaith eto. Roedd e'n synnu'n fawr bod y creadur yn gallu siarad. Er bod golwg nerfus arno, fel petai e ar bigau'r drain, roedd llais y creadur yn ddigyffro. Siaradai'n araf ac yn bwyllog, yn debyg i'r ffordd roedd tad Anwen, y ffermwr, yn siarad – yn araf ac yn bwyllog.

'Beth?' gofynnodd Rhys.

'Y peth 'na sy ar goll ... y peth dw i'n chwilio amdano. Mae e fan hyn, does dim dwywaith amdani. Mae e yma wrth y croestorfan hwn.'

Siglodd Rhys ei ben. Doedd ganddo ddim clem am beth roedd e'n sôn. Tynnodd y creadur ei hun ar ei draed a fflachiodd ei lygaid. Yna, gan syllu i fyw llygaid Rhys, taflodd ei hun ato a'i fwrw i'r llawr. Roedd y creadur yn anhygoel o gryf. Ar amrantiad, eisteddai ar frest Rhys,

ei ddwylo anferth yn gwasgu ei wddwg. Gallai Rhys deimlo ei groen arno – yn drwchus fel teiar car.

'Y ffynhonnell – ble mae'r blincin ffynhonnell?'

Roedd Rhys yn dal i fod braidd yn gysglyd ar ôl bwyta cinio mawr, ond edrychodd o'i gwmpas yn daer. Roedd e'n difaru ei enaid iddo beidio ag aros gyda'i dad. 'Pa ffynhonnell? Beth yw ffynhonnell?'

'Rwyt ti'n gwbod yn iawn pa un. Rwyt ti'n gwbod!' meddai'r creadur, gan godi ei lais.

Ond doedd Rhys ddim yn gwybod.

'Dw i'n gwbod dy fod ti'n gwbod,' hisiodd y creadur, ei lygaid yn fflachio gan ddicter. 'Mae Wdig yn gwbod dy fod ti'n gwbod.'

'Pwy yw Wdig?' ebychodd Rhys.

'Fi yw blincin Wdig,' arthiodd y creadur. 'Mae pawb yn nabod Wdig. Dw i'n gwbod dy fod ti'n gwbod. Dw i'n gallu ei wynto fe fan hyn. Dw i'n gallu ei deimlo fe o dy gwmpas ac arnat ti ac ynot ti. Unwaith Yn Y Pedwar Gwynt wyt ti, does dim dwywaith am hynny. Blincin Unwaith Yn Y Pedwar Gwynt wyt ti. A *dyma'r* union fan. *Y* lle.'

'Cer oddi arna i,' gwaeddodd Rhys, ei dymer yn codi. Sodrodd ei goesau i mewn i'r ddaear a gwthiodd y creadur â'i frest mor galed ag y gallai.

Rholiodd y creadur ar hyd y llawr a sgrialu'n ôl ar ei draed. Brwydrodd i gael ei wynt ato, gan ysgyrnygu ar Rhys. Yna sniffiodd yr awyr â'i drwyn hir.

'Mae'r grym yma. Fan hyn mae. Rwyt ti yma ac Unwaith Yn Y Pedwar Gwynt wyt ti. Ble mae e?'

'Dw i ddim yn gwbod am beth rwyt ti'n sôn,' gwaeddodd Rhys.

Roedd Rhys yn canolbwyntio ar Wdig, gan geisio ei gadw o'i flaen fel na allai neidio arno eto. Gallai glywed y bws yn nesáu i fyny'r rhiw. 'Wyt ti'n clywed hwnna?'

'Beth?' hisiodd Wdig.

'Dyna'r 437 o Aberteifi. Bws yw e. Galla i ofyn i'r gyrrwr alw'r heddlu ar ei radio – wedyn byddi di mewn trafferth dros dy ben a dy glustiau.'

Stopiodd Wdig yn ei unfan a gwylio'r bws yn dod yn nes. Yn ôl ei arfer, dyma Mr Dickinson, y gyrrwr, yn canu ei gorn.

'Blincin bysiau,' meddai Wdig, 'mae'n rhaid imi ddod o hyd i'r garreg. Mae'n rhaid imi gael y garreg.'

'Cer o 'ma,' gwaeddodd Rhys. 'Cer i grafu.'

Taflodd Wdig gip bach sydyn arall ar y bws cyn taflu ei hunan yn ôl i ganol y clawdd a dechrau twrio trwy'r canghennau â'i ddwylo. O fewn eiliadau, roedd e wedi mynd, yn union fel pysgodyn yn diflannu i'r môr. Gwrandawodd Rhys ar y clawdd yn clecian wrth i Wdig sleifio i ffwrdd.

Hisiodd drysau'r bws ar agor. Trodd Rhys ar ei sawdl. Yr unig rai oedd yn byw yn ymyl y Lôn Droellog ar y Rhiw Gyntaf oedd e a'i dad, Anwen Beic a'i mam a'i thad. Fyddai neb byth yn camu oddi ar y 437 ar ddydd Sul. Ond nawr, dyma ddwy yn gwneud yr union beth:

menyw denau dal yn gwisgo siwt ddu, ac yn dynn wrth ei sodlau roedd merch surbwch yr olwg, tua dwy ar bymtheg oed, yn cario bag llaw mawr du.

Canodd y gyrrwr ei gorn a chododd ei law ar Rhys. Bu bron i Rhys anghofio chwifio'n ôl.

'Pwy ydych chi?' gofynnodd e braidd yn ddigywilydd.

'Pa fath o gwestiwn yw hwnna, grwt?' meddai'r fenyw dal, gan wthio ei bysedd trwy ei gwallt gwyn. Daliodd ei llaw o'i blaen. Chwilotodd y ferch yn ei bag, ei llygaid treiddgar du yn fflachio fel llygaid aderyn. Ymhen amser, tynnodd hi bwrs allan a'i ollwng yn llaw'r fenyw. Agorodd honno'r pwrs a chydiodd mewn papur decpunt. Daliodd hi'r arian o'i blaen a'i chwifio tuag at Rhys.

'Nawr gad imi ofyn cwestiwn i tithe. Wyt ti wedi gweld rhywbeth anghyffredin wrth yr arhosfan yma?'

5 Y decpunt

STRYFFAGLODD Y 971 o'r ysgol i fyny'r rhiw. Yn lle edrych dros ysgwydd Gloria ar y deialau ar y dashfwrdd fel arfer, rhoddodd Rhys ei holl sylw ar yr arhosfan o'i flaen. Roedd y frân yno, ond doedd dim golwg o neb arall. Doedd Wdig ddim i'w weld yn unman – roedd hynny'n beth da, achos bod Rhys wedi cael digon o ddyrnu am un diwrnod.

Ochneidiodd y drws ar agor a chododd Gloria ei llaw arno. 'Hwyl, Rhys,' gwenodd hi. 'Gwna'n siŵr dy fod ti'n fachgen da.'

Gwenodd Rhys yn nerfus – gwyddai nad oedd e wedi bod yn dda y diwrnod hwnnw.

Amser cinio, roedd Connor Collins a'i ddau fêt, Penbwl a Delaney – aelodau eraill y criw – wedi gafael yn Rhys y tu allan i'r neuadd fwyta. Wedyn dyma nhw'n ei dynnu i fyny'r bancyn nad oedd o fewn golwg i'r ysgol. Safodd Delaney ar ei law tra bod llygaid Penbwl yn gwibio i bob cyfeiriad wrth i Connor fynnu'r arian a oedd "yn ddyledus iddo" gan Rhys.

Ceisiodd Rhys ddweud nad oedd ganddo ddim arian, ond dywedodd Penbwl ei fod e'n dweud celwydd. Yna, dyma nhw'n chwilio yn ei bocedi a daethon nhw o hyd i'r papur decpunt. Dywedon nhw y bydden nhw'n ei weld e eto yr wythnos nesaf ar gyfer y "taliad" nesaf.

Roedd Rhys yn grac ag e ei hun. Y diwrnod cynt, roedd e wedi ateb pob un o gwestiynau'r Fenyw Dal, a hynny er mwyn cael yr arian i dalu Connor. Ond doedd ei gynllun ddim wedi llwyddo. Roedd Connor eisiau mwy, a nawr roedd Rhys yn difaru siarad â'r Fenyw Dal am y pethau fu'n digwydd wrth yr arhosfan. Ceisiodd ddweud wrtho'i hun nad oedd dim rheswm iddo deimlo felly. Wedi'r cyfan, doedd neb wedi dweud dim byd cyfrinachol wrtho; a dweud y gwir, doedd neb wedi sôn gair wrtho fod unrhyw beth o gwbl yn digwydd yno. Eto, roedd ganddo ryw deimlad efallai na ddylai fod wedi sôn wrthi am yr holl bethau a welsai dim ond er mwyn gallu cael gafael ar arian i'w roi i Collins.

Gwyliodd Rhys y bws yn gyrru i ffwrdd ar hyd y Rhiw Gyntaf. Ar ôl curo'r clawdd yn ymyl y glwyd â ffon fawr i wneud yn siŵr nad oedd Wdig wirion yn cuddio yno, aeth e'n ôl at ei gêm y tu mewn i'r arhosfan. Roedd pob un o'r cerrig wedi cael eu cicio a'u chwalu ar led. Yn dawel fach, dechreuodd e roi Gwersyll Bastion yn ôl at ei gilydd gyda'r tyrau gwylio, ei safleoedd saethu a'r cerbydau arfog â chuddliw drostyn nhw. O dipyn i beth, dechreuodd anghofio am Connor Collins,

Delaney a Penbwl a phopeth arall oedd wedi digwydd. Yn ei boced roedd ganddo lythyr i'w dad oddi wrth bennaeth ei flwyddyn. Roedd yr ysgol eisiau gweld y ddau ohonyn nhw. Anghofiodd am hwnnw hefyd.

Daeth ei chwarae i ben pan sylwodd Rhys ar bâr o esgidiau llawn llwch yn sefyll yn ymyl rhai o safleoedd pellaf y Taliban. Cododd ei lygaid. Arweiniodd yr esgidiau at bâr o drowsus pinstreip brwnt a'r rheini'n cael eu dal o amgylch bola mawr tew gan wregys a'r gair 'Brenin' wedi ei ysgrifennu arno wrth ochr wyneb Elvis Presley. Uwchlaw hwnnw roedd crys siec. Edrychodd wyneb cyfarwydd Kid Welly a'i lygaid brown i lawr arno.

'Ga i dorri ar dy draws am eiliad, fy machgen i?' meddai Kid.

Nodiodd Rhys ei ben. 'Iawn,' meddai, cyn cofio bod ganddo neges iddo. 'Gwelais i Doc Penfro fan hyn. Roedd e eisiau i fi ddweud wrthoch chi ei fod e'n barod i wneud fel y gwelwch chi orau.'

'Wnest ti sôn wrtho fy mod i wedi bod yma?' gofynnodd Kid.

'Wrth gwrs,' atebodd Rhys.

'Da iawn, fy machgen i. Dw i'n synnu nad ydw i wedi taro arno fe eto,' meddai Kid. 'Dyw'r dre 'ma sy gennych chi ddim yn un fawr.'

'Mae 'na fferi yma, trên, archfarchnad … beth arall sy eisiau arnoch chi?'

'Dim ond dweud ydw i nad yw'r dre mor fawr fel y

gall dyn mor amlwg â Doc guddio ynddi heb i ddyn mor graff â fi lwyddo i ddod ar ei draws,' meddai Kid.

Cododd Rhys ar ei draed. 'Roedd 'na fenyw hefyd,' meddai. 'Daeth hi oddi ar y bws.'

'Felly'n wir? Cofia, mae llawer o fenywod yn teithio ar fws. Menywod, siŵr o fod, yw tua hanner y bobl sy'n defnyddio bysiau, felly beth sydd mor arbennig am yr un yma?'

'Tal, tenau, yn gwisgo dillad du,' meddai Rhys. 'Ac roedd ffrind gyda hi.'

'Unwaith eto, Rhys, dw i ddim yn deall – pam bod hynny mor anghyffredin? Mae'r hen fyd 'ma'n llawn menywod tal tenau a dw i'n siŵr bod gan lawer iawn ohonyn nhw ffrindiau.'

'Gofynnon nhw gwestiynau i fi.'

'Oedd y ffrind 'ma'n fyr, tua dwy ar bymtheg oed â gên lydan, gwallt du fel y frân a llygaid oeraidd?' gofynnodd Kid.

'Digon tebyg,' meddai Rhys. 'Roedd rhywbeth oeraidd ynglŷn â'i llygaid, erbyn meddwl.'

Symudodd Rhys yn annifyr o'r naill droed i'r llall; gallai weld nad oedd Kid yn hoffi'r bobl newydd hyn.

'Beth sy'n bod, fy machgen i?' gofynnodd Kid.

'Fe wnes i sôn wrthi eich bod chi yma,' meddai.

'Pam yn y byd mawr wnest ti rywbeth mor dwp â 'na?' gofynnodd Kid.

'Doeddwn i ddim yn meddwl bod llawer o ots ar y pryd,' meddai Rhys.

'Ond nawr rwyt ti wedi newid dy feddwl, wyt ti?' gofynnodd Kid.

'Ydw,' atebodd Rhys. 'Roedd ganddi ddiddordeb mawr yn y ddau ohonoch chi. Ydych chi'n ei nabod hi?'

Meddyliodd Kid Welly am eiliad. 'Mae pawb yn ei nabod hi. Rhyw fath o wrach yw hi, am wn i, a rhyw fath o brentis iddi yw'r ferch. Mae golwg oeraidd ar y ferch am nad yw hi'n dda iawn – mae hi braidd yn araf, os wyt ti'n deall beth sydd gen i. Dyw hi ddim yn un naturiol – ddim fel ti,' meddai Kid. 'Gwna gymwynas â fi, fy machgen i.'

Nodiodd Rhys.

'Heblaw amdana i a Doc, paid â siarad â rhagor o ddieithriaid.'

'Oeddech chi'n gwbod bod 'na greadur rhyfedd yn y clawdd?' gofynnodd Rhys.

'Fel mae'n digwydd, doeddwn i ddim,' meddai Kid. 'Beth yw ei enw?'

'Wdig.'

'Dw i erioed wedi clywed amdano,' meddai Kid. 'Paid â siarad â hwnna chwaith. Pan weli di Doc, dwed wrtho y bydda i'n aros amdano fe yn y dre. Dwed wrtho nad oes llawer o amser gennyn ni.'

'Llawer o amser am beth?'

Symudodd Kid yn nes at Rhys. 'Mae 'na frân yn eistedd ar ben to'r arhosfan yma. Mae'n gwrando ar bopeth rydyn ni'n ei ddweud. Nawr callia, wnei di, a rho'r gorau i glebran gyda phawb a'i wraig sy'n dod oddi ar fws fan hyn. Cofia sôn wrth Doc beth ddywedais i ac aros am gyfarwyddiadau. Bydd angen dy help arnon ni. Os oes chwant helpu arnat ti, byddwn i'n ddiolchgar iawn.'

'Fi?' gofynnodd Rhys. 'Pam fi?'

'Achos mai Unwaith Yn Y Pedwar Gwynt wyt ti.'

Ar hynny, brasgamodd Kid allan o'r arhosfan ac yn ôl tuag at y dref. Wrth iddo fynd, dyma Anwen Beic yn gwibio heibio iddo, gan bedalu mor galed ag y gallai. Croesodd hi'r ffordd yn sydyn a sglefrio i stop o flaen yr arhosfan. Bu'n chwarae pêl-rwyd. Gwisgai ei siaced ysgol dros ei chrys Ymosodwr Gôl, roedd ei hesgidiau wedi cael eu stwffio i'r bag a hongiai ar draws ei chefn ac roedd ei threinyrs yn fwd i gyd.

'Pwy yw'r dyn 'na? Sôn am ryfedd!' meddai, gan dynnu gwep. 'Be ti'n wneud, Rhys? Enillon ni, gyda llaw, 10–4. Ti eisiau gwbod pwy sgoriodd y 10?'

Roedd Rhys yn falch o weld Anwen. Hi oedd yr unig un normal y gallai siarad â hi, ac er ei fod e newydd addo peidio â siarad â dieithriaid, dywedodd gymaint ag y gallai wrth Anwen am nad oedd hi'n ddieithr iddo. A dweud y gwir, gwyddai Rhys fod Anwen yn meddwl mai *fe* oedd y dieithryn. Dim ond ers ychydig fisoedd y bu'n byw yn y bwthyn ar ei fferm, ond roedd Anwen wedi bod ar ei fferm ar hyd ei bywyd. Gwrandawodd Anwen a gwenu'n gwrtais, gan feddwl iddi hi ei hun mai chwarae un o'i gemau eto roedd Rhys. Roedd hi'n hoff o alw heibio'r arhosfan i weld pa enwau roedd e wedi eu rhoi ar y cerrig, i daflu brigau at ffrwydron tir ac i glywed ei storïau am y môr-ladron oedd yn aros yn eu badau cyflym yr ochr draw i'r pentir, yn barod i ymosod ar y llong fferi. Doedd hi ddim yn credu'r un gair ond roedd hi'n meddwl ei fod e'n ddoniol.

'Ai dweud wyt ti taw rhyw fath o ysbïwr yw'r frân?' meddai Anwen, gan godi ei llygaid i edrych ar yr aderyn ar y to.

'Dw i ddim yn gwbod ar ochr pwy mae hi. Y cyfan dw i'n ei wbod yw ei bod hi'n gallu deall popeth rydyn ni'n ei ddweud,' meddai Rhys.

Trodd yr aderyn ei ben.

'Sut wyt ti'n gwbod?' gofynnodd Anwen.

Roedd golwg braidd yn chwithig, bron â bod yn nerfus, ar Rhys. 'Wel, dyna ddywedodd y dyn 'na,' meddai, gan bwyntio at Kid Welly wrth i hwnnw frasgamu i lawr y rhiw yn y pellter.

'Dim ond esgus bod yn hen gowboi gwirion mae hwnna. Dyw e ddim chwarter call,' meddai Anwen.

'A'r ...' dechreuodd Rhys cyn i'w lais wanhau yn araf, 'a'r ddafad – yr un ddu. Mae'r ddafad yn deall hefyd.'

Roedd y cae yn dal i fod yn wag, ond gwyddai Anwen pa un roedd e'n ei feddwl – ei defaid hi oedden nhw wedi'r cwbl. Teimlai Rhys yn anesmwyth; roedd e'n difaru dweud wrth Anwen ei fod e'n meddwl bod yr anifeiliaid yn gallu ei ddeall.

'Dafi?' gofynnodd hi.

'Pwy?'

'Dafi. Rhoion ni enw arno fe am ei fod e'n arbennig. Mae e'n sefyll allan. Mae'n gallu bod yn hwrdd digon ystyfnig,' eglurodd Anwen. 'Ond fe yw fy ffefryn. Dydyn ni ddim yn cadw hyrddod du fel arfer, ond mae Dafi'n wahanol.'

'Ie, hwnna,' meddai Rhys.

'Rwyt ti'n siarad â'r defaid?' chwarddodd Anwen.

'Dim ond â Dafi; mae'r lleill yn eitha twp,' meddai Rhys.

Chwarddodd Anwen. Rhedodd ei bysedd trwy wallt Rhys yn chwareus. 'Un smala wyt ti. Dere, dw i'n mynd â ti am dro ar fy meic.'

Doedd Rhys ddim eisiau mynd am dro ar feic Anwen am fod hwnnw'n rhy sigledig ac roedd hi'n gyrru'n rhy gyflym. Ond mynnodd hi y byddai popeth yn iawn. Cafodd ei berswadio i eistedd ar y sedd a lapio ei freichiau am ei chanol wrth iddi sefyll ar y pedalau a llywio'r ddau ohonyn nhw i fyny'r Lôn Droellog tuag at y tai. Ymhen ychydig eiliadau, dechreuodd y cyfan deimlo'n wych; gwaeddodd Rhys nerth esgyrn ei ben.

Gwyliodd y frân y sioe. O'u cuddfannau o gwmpas yr arhosfan, roedd llygaid eraill yn dilyn eu llwybr igam-ogam ar hyd y Lôn Droellog. Chwarddodd Rhys yn uchel wrth i Anwen esgus pedalu mor galed ag y gallai. Y gwir amdani oedd ei bod hi'n gallu mynd yn gynt o lawer.

6 Y Sbanerwyr

AM BUM munud wedi wyth y bore croesodd Rhys y ffordd tuag at yr arhosfan, gan sugno ar ei losin coch. Roedd yr awyr yn llwydaidd a'r cymylau'n hongian yn isel dros y clogwyni, gan guddio llwybrau anwedd yr awyrennau uwchben, ac yn y pellter ymledodd y môr fel llen o ddur. Gwthiodd Rhys ei law yn ei boced a theimlodd y nodyn – yr un oddi wrth yr ysgol roedd e i fod i'w roi i'w dad. Diawliodd ei hun am anghofio. Bydden nhw'n siŵr o roi nodyn arall iddo a hwnnw'n esbonio sut roedd e wedi rhoi'r gorau i fynd â negeseuon o'r ysgol adref. Gwyddai y gallai hyn droi'n ddifrifol yn y pen draw, achos os nad oeddet ti'n rhoi'r negeseuon i dy rieni gallet ti gael dy wahardd o'r ysgol.

Roedd meddwl Rhys yn bell wrth iddo gyrraedd yr arhosfan. Anwybyddodd e'r frân fusneslyd a Dafi'r ddafad a oedd yn loetran yn nerfus wrth y glwyd. Camodd yn syth i mewn i'r arhosfan a baglodd. Cwympodd Rhys yn ei flaen. Doedd e ddim yn siŵr beth oedd wedi bwrw yn erbyn ei draed. Clywodd e swn griddfan. Hwpodd ei ddwylo allan a daliodd ei hun ar hysbysfwrdd amserlen y bysiau. Llwyddodd i sadio'i hun, trodd ac yna gwelodd olygfa ofnadwy: roedd Wdig, y dyn gwyrdd, yn gorwedd ar y llawr a gwaed gwyrdd yn llifo o glwyf cas yn ei ben.

Neidiodd Rhys draw tuag ato cyn syrthio ar ei benliniau. 'Wdig, wyt ti'n iawn?'

Griddfanodd Wdig unwaith eto. 'Blincin gwych,' ochneidiodd. 'Fel y blincin boi.'

Cwympodd pen Wdig tuag yn ôl yn llipa; roedd e wedi llewygu.

Ni wyddai Rhys beth i'w wneud. Byddai'r bws 971 i'r ysgol yn cyrraedd ymhen deg munud. Ni allai fynd a gadael Wdig yno ar y llawr. Meddyliodd yn gyflym. Beth fyddai ei dad wedi'i wneud os oedd e'n dal i fod yn y fyddin? Roedd yr ateb yn blaen – byddai'n aros yn y fan a'r lle, cysgodi a gofalu am y claf. Felly llusgodd Rhys Wdig gerfydd ei ysgwyddau allan o'r arhosfan tuag at y glwyd lle roedd Dafi'n sefyll, gan wylio'r cyfan.

Tynnodd e Wdig i mewn i'r ffos a'i roi i orwedd yn erbyn clawdd cerrig y cae lle roedd llawer o dyfiant. I lawr fan hyn, fyddai neb yn gallu gweld Wdig. Yna cydiodd Rhys mewn brigau a changhennau a'u taenu uwchlaw'r ffos. Roedd angen dŵr arno. Roedd bin sbwriel yn ymyl yr arhosfan; chwiliodd Rhys trwyddo a daeth o hyd i botel lemonêd wag. Tynnodd e'r botel allan, dringodd dros y glwyd a rhedodd i waelod y cae lle roedd nant fach. Daeth e'n ôl â'r dŵr a'i sblasio dros wyneb Wdig, gan lanhau'r clwyf ar ei ben cyn arllwys peth ohono i'w geg wyrdd a oedd fel rwber. O dipyn i beth dechreuodd llygaid Wdig grynu ar agor – un du ac un glas. Roedd y dŵr i'w weld yn helpu ac yn gwneud iddo deimlo ychydig yn well.

'O, fy mhen i,' griddfanodd Wdig.

'Beth ddigwyddodd?' gofynnodd Rhys.

Meddyliodd Wdig am eiliad, yna, wrth iddo gofio, cripiodd cwmwl o arswyd ar draws ei wyneb.

'Sbanerwyr!' meddai. 'Cannoedd ohonyn nhw. Martsion nhw drwy fan hyn yn ystod y nos. Roedd Wdig yn cysgu. Dyma nhw'n ei ffindio fe. A'i ddal e. Dyma nhw'n trio ei dostio fe ar eu tanau toddi metel. Dyma'r Sbanerwyr yn mynd ati i drio bwyta Wdig fel cyw iâr – un o'r rheina sy'n mynd rownd a rownd mewn siop sglodion. Doedden nhw ddim eisiau bwyta *gydag* Wdig, ti'n deall, ond bwyta Wdig ei hun!'

Gwrandawodd Rhys mewn braw. Roedd Wdig yn greadur hyll iawn, ond doedd Rhys ddim yn meddwl ei fod e'n haeddu cael ei fwyta. A beth bynnag, byddai'n siŵr o flasu'n ofnadwy, meddyliodd; byddai bwyta Wdig fel bwyta broga gludiog gwyrdd.

'Pwy yw'r Sbanerwyr?' gofynnodd Rhys.

'Byddin sy'n martsio i bobman. Fel Wdig, maen nhw hefyd yn chwilio am y ffynhonnell. Maen nhw'n gallu teimlo'r pŵer yma hefyd.'

'Byddin o beth? Beth ydyn nhw?'

'Maen nhw ym mhobman ac yn cuddio,' meddai Wdig, gan chwifio ei freichiau, 'yn eu siwtiau metel gyda'u cleddyfau clonciog.'

'Beth, fel marchogion?' gofynnodd Rhys. 'Mewn arfwisgoedd?'

'Sbanerwyr!' gwaeddodd Wdig. 'Wastad yn crwydro, wastad yn brwydro.'

Cododd Rhys ar ei draed. Gallai weld y 971 ar y ffordd wrth yr Ail Riw. 'Sut gwnest ti ddianc?'

'Trwy wneud fy hunan yn fach cyn twrio trwy'r ddaear. Mae'r Sbanerwyr yn araf yn eu metel, ond llwyddon nhw i daro Wdig ar ei blincin ben â ffon bigog. Wedyn dyma fe'n cwympo i'r llawr yn nhŷ Rhys,' meddai Wdig, gan bwyntio at yr arhosfan. 'Mae Rhys wedi codi ei dŷ ar lecyn hudol – mae pwerau iachaol gan dŷ Rhys.'

Doedd dim llawer o amser gan Rhys; roedd y bws wedi cyrraedd pen y Rhiw Gyntaf. 'Cymer y dŵr,' meddai. 'Os oes angen rhywbeth arnat ti, gofyn i'r ddafad.'

Edrychodd Dafi a rholiodd ei lygaid-blwch-llythyron.

'Gofala am Wdig,' gwaeddodd Rhys ar y ddafad ddu wrth iddo ddringo allan o'r ffos a rhedeg tuag at yr arhosfan. 'Bydda i yma eto ar ôl ysgol.'

Cael a chael fu hi ond llwyddodd Rhys, o drwch blewyn, i gyrraedd y ffordd mewn pryd i godi ei law er mwyn stopio'r bws. Doedd e erioed wedi peidio â

chwifio am y bws. Roedd peidio â chwifio yn anlwcus iawn. Gloria oedd yn gyrru ac agorodd hi'r drysau.

'Bore da, Rhys,' meddai yn ei llais lan-a-lawr. 'Wyt ti'n iawn, fy machgen i? Rwyt ti'n edrych fel taset ti wedi gweld ysbryd.'

Gwenodd Rhys ac aeth i chwilio am sedd. Wnaeth e ddim eistedd yn ei sedd arferol y tu ôl i'r gyrrwr; cerddodd ymhellach ar hyd y bws ac eistedd yr ochr nesaf at yr arhosfan fel y gallai weld Dafi. Roedd e'n falch o weld bod y cuddliw wedi llwyddo. Doedd dim golwg o Wdig.

7 Y cyfarfod mawr

DOEDD RHYS ddim eisiau mynd adref ar ôl ysgol. Roedd y pennaeth blwyddyn wedi ffonio ei dad er mwyn trefnu cyfarfod. Doedd gan Siôn ddim syniad pam roedden nhw eisiau ei weld achos bod y nodyn oddi wrth yr ysgol yn dal i fod ym mhoced Rhys. Bu'n ddiwrnod llawn trychinebau yn yr ysgol, ond llwyddodd Rhys i gael paced o greision a photel o gôc ac i gadw draw oddi wrth griw Connor Collins.

Camodd Rhys oddi ar y 971 am ddeg munud wedi pedwar. Arhosodd i'r bws ddiflannu cyn rhuthro draw i'r man lle roedd e wedi gadael Wdig. Roedd e eisiau rhoi'r nwyddau iddo, i'w helpu i deimlo'n well. Ond pan gyrhaeddodd e'r ffos doedd dim golwg o Wdig, ac roedd Dafi a'r defaid eraill wedi crwydro i ran arall o'r cae, draw yn y pellter. Penderfynodd Rhys adael y nwyddau yn y ffos. Barnodd fod eithaf siawns bod Wdig ar hyd y lle yn rhywle, yn cuddio yng nghrombil rhyw glawdd, a'i fod e siŵr o fod yn ei wylio yr eiliad honno. Gallai ddod i gasglu'r nwyddau yn nes ymlaen.

Dychwelodd Rhys o'r ffos a mynd i eistedd yn yr arhosfan. Ni wyddai beth i'w wneud. Doedd dim chwant chwarae arno achos bod gormod o bethau'n digwydd yn yr arhosfan ac yn ei ben. Gwyddai y byddai ei dad yn grac iawn ag e oherwydd yr alwad ffôn. Doedd e ddim eisiau mynd adref a gorfod ateb cwestiynau Siôn, ond doedd e ddim wir eisiau aros yn yr arhosfan chwaith. Roedd hi'n dechrau troi braidd yn frawychus yn fan 'na hefyd.

Daeth tacsi i stop wrth yr arhosfan a dringodd dau ddyn cyfarwydd allan. Doc Penfro a Kid Welly oedd yno. Rhoddodd Kid bapur ugain punt i'r gyrrwr a'i siarsio i gadw'r newid. Chwifion nhw ar Rhys a cherdded draw yn ling-di-long, yn llanciau i gyd yn eu hetiau cowboi. Roedd Rhys bron â bod yn falch o'u gweld. Roedd y frân, a eisteddai ar bolyn telegraff gerllaw, yn dechrau mynd ar ei nerfau. Roedd yr aderyn fel camera diogelwch, meddyliodd Rhys, bob amser yn gwylio, yn adrodd yn ôl i rywun neu rywbeth gyda'r holl newyddion o'r arhosfan.

'Wel, shwmae, Rhysi-boi?' meddai Doc, wrth iddo swagro i mewn i'r arhosfan, gan blygu ryw ychydig er mwyn atal blaen ei het rhag cyffwrdd â'r to.

Brasgamodd Kid Welly i mewn i'r arhosfan hefyd. Roedd e'n dal i wisgo ei wregys Elvis yn dynn am ei fola mawr. 'Llwyddon ni i ffindio'n gilydd,' meddai.

Meddyliodd Rhys fod hynny'n amlwg.

'Mae wedi bod yn amser maith,' parhaodd Doc. 'Roedd Kid a fi'n enwog yn y rhan yma o'r byd ar un adeg. Roedden ni'n arfer bod yn dîm da iawn.'

'Dyna sut cawson ni ein henwau,' meddai Kid. 'Y Doc a'r Kid. Mae e'n dod o Ddoc Penfro, ti'n gweld, a dw i'n dod o Gydweli.'

Nodiodd Rhys. Roedd e'n meddwl am ei dad. Roedd hwnnw'n mynd i fod yn gandryll.

'A dyma ni'n ôl gyda'n gilydd – bytis unwaith eto,' meddai Doc gan daro Kid ar ei gefn.

'Dihirod mewn byd sy'n llawn o bobl dda,' ychwanegodd Kid.

Edrychodd Rhys ar y ddau ohonyn nhw. Doedd dim golwg ofnadwy o ddrwg arnyn nhw; doedden nhw ddim yn edrych fel dihirod go iawn o gwbl.

'Felly ar ôl inni gwrdd i lawr yn y dre, penderfynon ni y byddai'n syniad da dod i dy weld ti, Rhysi-boi. Wedi'r cwbl, ti yw'r dyn ddaeth â ni'n ôl at ein gilydd.'

'Nid fi ddaeth â chi'n ôl at eich gilydd,' meddai Rhys. 'Y cyfan wnes i oedd mynd â neges neu ddwy.'

'Rhys, fe wnest ti ddigon. Dywedaist ti'r gwir wrthon ni ac rydyn ni'n gwerthfawrogi hynny,' meddai Kid.

Meddyliodd Rhys am ei dad – roedd e'n difaru na ddywedodd e'r gwir wrth hwnnw.

'Felly nawr yw'r amser inni siarad yn blaen,' meddai Doc. 'Wyt ti eisiau reidio gyda ni?'

'Hynny yw, does dim ceffylau gennyn ni … ond

ffordd o siarad,' esboniodd Kid. 'Wyt ti eisiau ymuno â ni?'

Doedd Rhys ddim eisiau bod yng nghriw Doc a Kid. Doedd e ddim yn hoffi criwiau. Meddyliodd y bydden nhw'n siŵr o roi hen grys siec twp iddo a gwneud iddo wisgo bathodyn â seren arno, felly siglodd ei ben.

'Dw i'n lico hwnna,' meddai Doc. 'Mae'r crwt yn reidio ar ei ben ei hun; dyna pam mai Unwaith Yn Y Pedwar Gwynt yw e.'

'A wnaiff rhywun ddweud wrtha i beth yn hollol yw Unwaith Yn Y Pedwar Gwynt,' gofynnodd Rhys.

'Siaradwn ni'n blaen â ti, Rhys. Dywedwn ni'r gwir, ond mae angen dy help arnon ni – mae angen iti reidio gyda ni,' meddai Doc.

'Neu o leia cerdded,' ychwanegodd Kid.

'Iawn 'te,' ochneidiodd Rhys. 'Fe wna i reidio gyda chi.'

'Roeddwn i'n gwbod y byddet ti'n dod at dy goed,' meddai Kid a gwenu. 'Dwed wrtho fe, Doc.'

Daeth aeliau Kid ynghyd yn y canol. Roedd golwg ddifrifol arno wrth i Doc ymsythu i'w lawn daldra a dechrau siarad. 'Anaml iawn y bydd Unwaith Yn Y Pedwar Gwynt yn digwydd – dim ond unwaith yn y pedwar gwynt. Ond mae e'n rhywun a'r gallu ganddo i weld i mewn i fydoedd eraill, bydoedd sy'n bodoli yn yr un gofod â'r dimensiwn dynol,' meddai Doc, gan glirio ei lwnc a phoeri ar y llawr.

'Mae Unwaith Yn Y Pedwar Gwynt yn gallu synhwyro pethau – teimladau, greddfau, pwerau,' meddai Kid.

'Mae Unwaith Yn Y Pedwar Gwynt yn gallu gweld pethau – hen hen bethau, creaduriaid rhyfedd, pethau y byddai bodau dynol eraill yn eu galw'n "ffug",' esboniodd Doc.

'Ofergoeliaeth maen nhw'n galw hyn – byd ysbrydion, blaidd-ddynion, sombis, byd y fampir – ond mewn gwirionedd dim ond geiriau yw'r rhain gan bobl sydd ddim yn Unwaith Yn Y Pedwar Gwynt, pobl sy'n methu gweld dim byd. Rwyt ti wedi gweld Dyn Gwyrdd, on'd wyt ti?'

Nodiodd Rhys ei ben, gan deimlo'n euog bron.

'Rwyt ti'n gallu deall anifeiliaid ac maen nhw'n dy ddeall di,' meddai Kid.

'Ydw, mewn ffordd,' cytunodd Rhys.

'Ac fe gwrddaist ti â dewines,' meddai Doc. 'Sawl un, a dweud y gwir. Maen nhw i gyd yn dod yma. I'r arhosfan.'

Siglodd Rhys ei ben. Doedd e ddim wedi cwrdd â'r un ddewines.

'O dere nawr – daeth hi ar y bws, rhoiodd hi arian iti, holodd hi ti amdanon ni,' meddai Doc.

'A beth ydych chi?' gofynnodd Rhys. 'Cwpwl o gantorion Canu Gwlad.' Symudodd e oddi wrth Doc a Kid.

'Mae'n wir ein bod ni'n perfformio ychydig o Ganu Gwlad, ydy, ond mae hynny fel ein masg ni,' meddai

Doc. 'Rydyn ni'n edrych fel cwpwl o artistiaid gwerin, ond mewn gwirionedd ... rydyn ni'n wahanol. Mae'n debyg mai dewiniaid ydyn ni'n dau hefyd. Ti'n deall?'

Siglodd Rhys ei ben.

'Beth wyt ti'n ei wbod am Sbanerwyr?' gofynnodd Doc.

'Maen nhw fel marchogion. Mae 'na fyddin ohonyn nhw'n gwersylla ffordd hyn,' meddai Rhys.

'Ti 'di gweld nhw?'

Siglodd Rhys ei ben unwaith eto.

'Wel maen nhw yma. Mae'r ardal yn llenwi â chreaduriaid o'r hen isfyd. Bob dydd mae rhai newydd yn cyrraedd. Wyt ti wedi meddwl gofyn iti dy hun pam?' meddai Doc.

Y tro yma, nodiodd Rhys. Doedd e ddim yn hoffi'r ffordd roedd ei arhosfan wedi newid.

'Mae ofn arnyn nhw,' esboniodd Kid. 'Mae ofn ar bob un ohonon ni.'

'Pam?' gofynnodd Rhys.

'Oes munud fach gen ti?' meddai Kid.

Roedd gan Rhys fwy na munud fach – doedd e ddim eisiau mynd adref o gwbl.

'Oes,' atebodd Rhys.

'Iawn 'te,' meddai Kid, 'dere i eistedd.'

Eisteddodd y tri ohonyn nhw ar lawr yr arhosfan. Cododd Kid Welly rai o'r cerrig y byddai Rhys yn eu defnyddio pan fyddai'n chwarae.

'Oes ots gen ti 'mod i'n defnyddio'r rhain?' gofynnodd Kid.

'Nac oes,' meddai Rhys.

'Mae gan Unwaith Yn Y Pedwar Gwynt y dychymyg i weld pethau mewn pethau eraill; dyna sut daethon ni o hyd i ti. Rwyt ti'n troi'r cerrig hyn yn beth bynnag rwyt ti eisiau iddyn nhw fod,' esboniodd Doc. 'Dyna'n union mae dewin yn ei wneud, yntefe? Mae gen ti ddychymyg dewin.' Rholiodd Doc y garreg rhwng ei fysedd. 'Un funud tanc yw e, y funud nesa mae'n llong, wedyn awyren – wastad yn newid.'

Nodiodd Rhys yn araf.

'Iawn,' meddai. 'Dywedwch wrtha i beth yn hollol sy'n digwydd.'

Tynnodd Kid ei law dros y tarmac nes dod o hyd i beth roedd arno ei eisiau. Daliodd garreg fach wen rhwng ei fys a'i fawd. 'Wyt ti'n gweld hon?'

Nodiodd Rhys.

'Dyma ddrygioni – y Fall.' Dododd Kid y garreg ar y llawr yn ofalus. 'Nawr dw i'n mynd i sôn wrthot ti am ddiwedd y byd.'

8 Y Garreg Las

CRWYDRODD LLYGAID Kid Welly o'r môr i'r tir a chanolbwyntio ar yr Hen Fynyddoedd a oedd yn niwlog a thywodlyd yng ngoleuni'r hwyr. Pefriodd ei lygaid brown wrth iddo edrych ar y bryniau.

'Wyt ti'n gwbod beth yw "croestorfan"?' gofynnodd.

Siglodd Rhys ei ben.

'Dyna'r pwynt lle mae dwy linell yn croesi. Rwyt ti wedi ffindio un. Rwyt ti'n dod ato drwy'r amser. Efallai nad wyt ti'n ei ddeall e eto, ond rwyt ti'n ei deimlo … achos rwyt ti'n arbennig. Mae'r arhosfan yma ar groestorfan dwy linell hen iawn iawn – mae'n rhan o rwydwaith sy'n cysylltu'r lle yma â Chôr y Cewri, Pyramidiau'r Aifft a'r isfyd.'

Meddyliodd Rhys am yr arhosfan. Deallodd ei hyd a'i led. Roedd y bysiau'n dilyn un llinell a'r awyrennau'n dilyn un arall wrth iddyn nhw hedfan uwch ei ben yn ôl ac ymlaen i America. Ei arhosfan oedd y pwynt lle roedden nhw'n cyfarfod. Roedd yn rhan o'r rheswm pam roedd e'n hoffi mynd yno.

'Dw i'n deall beth yw "croestorfan",' meddai Rhys.

'Amser maith yn ôl – a sôn ydw i nawr am oesoedd yn ôl, achau yn ôl, cyn i bobl gymryd y byd drosodd – roedd pethau'n wahanol,' parhaodd Kid.

'Beth ydych chi'n feddwl?' gofynnodd Rhys.

Ochneidiodd Kid. 'Dw i'n trio adrodd y stori 'ma ond os wyt ti'n gofyn cwestiynau o hyd fe golla i fy ffordd. Mae'n rhaid iti wrando,' meddai.

'Ond dw i eisiau gwbod beth ydych chi'n feddwl. Pryd oedd hyn? Sut roedd pethau'n wahanol? Ydyn ni'n sôn am oes y marchogion?' gofynnodd Rhys.

'Cyn hynny,' meddai Kid, 'cyn i'r bobl ddysgu sut i wneud haearn, cyn iddyn nhw wneud efydd, ar adeg pan oedd carreg yn frenin. Dychmyga drio siafo â charreg.'

Ni allai Rhys wneud hyn. Ond deallodd Doc, a thynnodd hwnnw ei law dros ei ên.

'Roedd hi'n amhosib,' meddai Kid, 'felly roedd y bobl hyn yn farfog – pobl farfog oedden nhw fyddai'n defnyddio cerrig i dorri pethau.'

'Pobl o Oes y Cerrig,' meddai Rhys.

'Dyna ti ar ei ben, fy machgen i. Nawr doedd dim llawer o bobl yn byw yn ystod Oes y Cerrig a, gan mai cerrig oedd yr unig offer oedd ganddyn nhw, doedden nhw ddim yn dda iawn wrth dorri coed, adeiladu ffyrdd a gwneud llongau. Roedden nhw'n gallu mynd o le i le, ond yn araf, ac roedden nhw'n byw gyda'r anifeiliaid. Roedd hyn mor bell yn ôl, a'r gwir amdani oedd eu bod nhw eu hunain bron yr un peth ag anifeiliaid. Anifeiliaid oedd yn arfer defnyddio cerrig oedden nhw. Rydyn ninnau hefyd yn anifeiliad sy'n defnyddio …'

Edrychodd Kid o'i gwmpas am ysbrydoliaeth.

'… sy'n defnyddio bysiau,' ychwanegodd Rhys.

'Yn union,' meddai Kid. 'Rydyn ni'n hoffi meddwl ein bod ni ar wahân i natur, ond dydyn ni ddim. Anifeiliaid ydyn ni – anifeiliaid sy'n defnyddio bysiau. Roedden nhw'n agos at natur yr adeg honno. Roedden nhw'n deall y byd yn well na ni,' meddai Doc. 'Achos hynny, roedden *nhw'n* gwbod pethau rydyn *ni* wedi eu hanghofio. Roedden nhw'n gallu siarad ag anifeiliaid, neu o leia eu deall nhw, ac roedden nhw'n deall pŵer y pethau hyn – fel ti.'

Cododd Kid ragor o'r cerrig a'u rhoi nhw mewn llinell droellog o gwmpas y garreg gyntaf, gan greu siâp chwyrlïog, yn union fel y siâp roedd Rhys wedi eu ffindio nhw ynddo ychydig ddyddiau ynghynt. Ebychodd e mewn syndod.

'Cerrig,' meddai Kid. 'Yn y cerrig mae'r pŵer. Rwyt ti'n gwbod hynny.'

'Pŵer? Pa bŵer?' gofynnodd Rhys.

'Roedd yr hen bobl yn arfer gosod cerrig hir i sefyll yn y ddaear, roedden nhw'n arfer eu symud o le i le, roedden nhw'n arfer eu trefnu mewn llinellau syth mewn perthynas â'r cerrig mawr yn yr awyr, fel y lleuad, a thrwy wneud hyn bydden nhw'n cysylltu â phŵer natur. Yng Nghôr y Cewri roedd eu cerrig mwya – maen nhw yno o hyd. Ac roedd y cerrig ddefnyddion nhw i adeiladu'r cylchoedd yng Nghôr y Cewri yn bwerus dros ben … a daethon nhw o'r ardal yma. Nhw oedd y Cerrig Gleision. Yn ôl y sôn, os oeddet ti'n gallu cyffwrdd â Charreg Las byddet ti'n gwella o unrhyw beth oedd yn bod arnat ti. Roedd y Cerrig Gleision yn bwerus; yn fwy pwerus nag unrhyw beth y gallet ti ei ddychmygu.'

'Dw i dal ddim yn gallu gweld beth sy gan hynny i'w wneud â ni fan hyn, nawr,' meddai Rhys.

Aeth Kid yn ei flaen i roi rhagor o gerrig ar y llawr nes iddo orffen y patrwm troellog. 'Roedd y llwythau'n gwbod am y pŵer yn y cerrig, ond dim ond ambell "Unwaith Yn Y Pedwar Gwynt" oedd ganddyn nhw – pobl a allai synhwyro *go iawn* beth oedd yn digwydd. Y cerrig yma oedd y rhai oedd yn cysylltu pobl â phŵer natur. Dechreuon nhw fynd â'r cerrig o'r ardal hon a'u rhoi nhw i sefyll mewn llefydd eraill. Doedd y bobl rownd ffordd hyn ddim yn hoffi gweld y cerrig yn cael eu symud o'r ardal hon. Bydden nhw'n eu tynnu oddi ar y bryniau sanctaidd a'u smyglo nhw i ffwrdd. Felly dyma un Unwaith Yn Y Pedwar Gwynt, a welodd hyn yn digwydd, yn dweud wrth ei ffrindiau – "beth am gadw un yn ôl – rhag ofn".'

Nodiodd Rhys.

'Dychmyga'r olygfa – pobl farfog o Oes y Cerrig, o

bell ac agos, yn crwydro'r bryniau hyn. Mae 'na bobl sy'n *esgus* bod yn Unwaith Yn Y Pedwar Gwynt ac mae 'na rai *go iawn*. Mae 'na wrachod a dewiniaid, bob math o bobl od a rhai sy'n dweud storïau tylwyth teg, bob un yn trio cael gafael ar y cerrig glas mawr 'na. Mae rhai eisiau symud y cerrig o'r bryniau i'r tir isel, a dyma ryw fachgen a rhai o'i ffrindiau o rownd ffordd hyn yn taro ar syniad – maen nhw eisiau dwyn carreg hudol a'i chuddio, fel ei bod yn aros yma yn yr ardal hon, lle dylai hi fod. A dyna maen nhw'n ei wneud. Maen nhw'n cadw un yn ôl – yr un fwya pwerus y gallen nhw ei ffindio – rhag ofn.'

'Iawn …' meddai Rhys, 'felly filoedd o flynyddoedd yn ôl dyma rywun o'r ardal hon yn dwyn carreg hudol. Beth sy mor arbennig am hynny?'

'Wnaeth e ddim ei dwyn hi,' meddai Doc. 'Fe'i cadwodd hi'n ôl. Mae hi yma yn rhywle.'

'Aeth hi ar goll,' ychwanegodd Kid. 'Neu o leia, pan ddechreuon nhw wneud efydd, ac yna haearn, dechreuodd rhyfeloedd, newidiodd y duwiau, newidiodd popeth. Anghofion nhw'r hud yn y garreg, felly dyma hi'n chwythu ei phlwc. Wel, wnaeth hi ddim diflannu; arhosodd lle roedd hi. Beth ddigwyddodd go iawn oedd bod pobl yn methu cofio ble roedd hi na sut i'w gweld hi hyd yn oed.'

'Collon nhw'r garreg,' ychwanegodd Doc.

'Felly, pam mae hyn yn bwysig?' gofynnodd Rhys,

ac yntau'n dechrau meddwl bod y stori'n annhebyg iawn o fod yn wir.

'Diogelwch,' meddai Kid.

'Amddiffyn,' meddai Doc.

'Cadw popeth ynghyd,' meddai Kid.

'Dw i ddim yn deall,' meddai Rhys. 'Os yw'r garreg mor bwerus, mae siŵr o fod yn beryglus.'

Chwarddodd Kid. 'Ydy, siŵr o fod, yn enwedig os yw'r bobl anghywir yn cael gafael arni. Ond does neb yn gallu ffindio'r garreg – gallai fod yn unrhyw le. Mae wedi bod ar goll ers pum mil o flynyddoedd. Cafodd ei dwyn gan griw o ddynion o'r pentre hwn – gan rai oedd ddim mor wahanol i ni.'

'Heblaw am y barfau,' meddai Rhys.

'Y rhan nesa 'ma dw i'n mynd i sôn amdani nawr yw'r rhan beryglus – dyma'r rhan sy'n corddi pob un o'r hen ddewiniaid ac ysbrydion fu'n cicio'u sodlau rownd ffordd hyn, gan wylio'r byd yn newid … dyma'r rhan sy wedi gwneud i'r Sbanerwyr ddechrau martsio eto.' Pwysodd Kid yn ei flaen a hanner sibrwd: 'Mae ofn ar bob un ohonyn nhw. Maen nhw'n gwbod mai'r pŵer yn y garreg yw'r amddiffyniad olaf, a heb y garreg fe gân nhw eu difa am byth. Ac mae ofn arnyn nhw y daw'r Brenin o hyd iddi gyntaf.'

'Pwy yw'r Brenin?' gofynnodd Rhys. Roedd ei ben yn dechrau brifo oherwydd yr holl sôn am ddewiniaid a'u tebyg.

Edrychodd Doc ar Rhys yn syn – ni allai gredu ei bod yn bosib i rywun beidio â chlywed am y Brenin.

'Maen nhw'n dweud ei fod e'n marchogaeth ceffyl du ar draws awyr y nos fel nad oes neb yn gallu ei weld. Maen nhw'n dweud ei fod e'n ymddangos ar ffurf brân, neu chwilen weithiau,' meddai Kid.

'Mae e'n gwneud i losgfynyddoedd ffrwydro ac mae'n creu corwyntoedd a cholofnau dŵr; mae e'n dechrau rhyfeloedd ac mae e'n rhoi'r gallu i natur ddinistrio, mae … mae e eisiau malu popeth yn llwch,' meddai Doc.

'Mae braidd yn anodd egluro pwy yw e,' meddai Kid. 'Ond mae un peth yn sicr – dyw e ddim fel dyn na menyw gyffredin, dyw e ddim hyd yn oed fel unrhyw beth cyffredin o'r isfyd, dyw e ddim hyd yn oed fel duw cyffredin,' meddai Kid. 'Mae e eisiau dinistrio pob un ohonon ni. I wneud hynny, mae'n rhaid iddo ffindio'r garreg las sy ar goll. Mae e ar ei ffordd i dy groestorfan bach di achos mae e wedi clywed am yr Unwaith Yn Y Pedwar Gwynt oedd wedi ei dwyn hi oddi arno yn y lle cyntaf. Mae'n rhaid inni achub y blaen arno.'

'Mae'n rhaid inni ofalu amdanon ni ein hunain,' ychwanegodd Doc.

Roedd golwg amheus ar Rhys.

'Ai dweud ydych chi fod 'na garreg hudol rownd ffordd hyn – a dyna'r unig beth sy'n rhwystro'r Brenin – pwy bynnag yw hwnna – rhag dinistrio'r byd?'

'O, mae pen ar y bachgen yma. Rwyt ti'n ei dweud

hi'n bert iawn. Unwaith Yn Y Pedwar Gwynt wyt ti – does dim dwywaith amdani,' meddai Doc.

'Mae pob un o'r rhai eraill ganddo fe'n barod. Hon yw'r garreg goll olaf,' meddai Kid.

Pwyntiodd Kid at y frân a oedd yn pigo'r llawr y tu allan i'r arhosfan. 'Mae'n dy ddilyn di.'

Syllodd Rhys ar Kid. Siglodd ei ben fel petai'n cael gwared ar bob un o eiriau Kid. 'Dyna beth yw siarad rwtsh. Does gan y frân ddim byd i'w wneud â diwedd y byd. Na finne chwaith.'

'Dw i'n dweud wrthot ti, grwt – Unwaith Yn Y Pedwar Gwynt wyt ti. Mae'n rhaid iti helpu ni i ffindio'r garreg yna cyn i'r Brenin ei chipio a dinistrio pob un ohonon ni,' meddai Kid.

'Dw i *ddim* yn Unwaith Yn Y Pedwar Gwynt a does gen i ddim clem am beth rydych chi'n sôn. Sut yn y byd mawr ydych chi'n gwbod bod hyn i gyd yn wir?'

'Dydyn ni *ddim* yn gwbod,' cyfaddefodd Doc, 'ond mae 'na storïau.'

'Dyna'n union beth yw hyn,' meddai Rhys. 'Stori. A dau dwyllwr ceiniog a dimau sy'n gwneud dim byd ond malu awyr ydych chi. Sut yn y byd ydych chi'n gwbod beth ddigwyddodd mor bell yn ôl â hynny?'

'Rydyn ni'n cadw ein llygaid a'n clustiau ar agor,' atebodd Kid.

'Rydyn ni wedi bod yma ers cyn cof,' meddai Doc. 'Ac rwyt tithe wedi bod yma hefyd. Ti gipiodd y garreg yn y lle cyntaf.'

Edrychodd Rhys ar y ddau ddyn yn eu hetiau cowboi gwirion.

'Dw i *ddim* yn Unwaith Yn Y Pedwar Gwynt a does 'na *ddim* Brenin,' gwaeddodd Rhys.

Roedd Kid yn gandryll. Dechreuodd y blew ar ei ên sefyll fel drain a phlethodd ei aeliau anferth ynghyd ar draws ei dalcen. Neidiodd Rhys ar ei draed a rhedeg oddi wrth yr arhosfan. Ar hynny, daeth car coch i'r golwg yng ngwaelod y Lôn Droellog a arweiniai at ei dŷ. Siôn oedd yno; edrychodd hwnnw'n grac hefyd. Brysiodd y car ar draws y ffordd a sgrechian i stop wrth ymyl yr arhosfan. Bloeddiodd cerddoriaeth roc a rôl drwy'r ffenestri.

Rhuthrodd Doc a Kid allan o'r arhosfan. Doedden nhw ddim wedi gweld tad Rhys. Rhedodd y ddau ar ôl Rhys a rhedodd hwnnw nerth ei draed tuag at gar Siôn. Wrth i Siôn agor ei ddrws er mwyn dod allan, taflodd Rhys ei hun i freichiau ei dad a rhoi cwtsh iddo. Roedd golwg syn ar Siôn. Ni allai gofio tro pan oedd Rhys erioed wedi rhoi cwtsh iddo o'r blaen.

'Dad!' gwaeddodd Rhys.

Dyma Siôn yn gostwng y sain ar y gerddoriaeth. 'Paid ti â dweud "Dad" wrtha i,' hisiodd trwy ei ddannedd.

Arafodd Kid a Doc eu camau a dod i stop, gan esgus eu bod nhw'n rhedeg ar ôl bws.

'Rhy hwyr, mae wedi mynd,' meddai Doc yn uchel fel y gallai Siôn ei glywed. 'Yr hen fws 'na! Dim ond eiliad neu ddwy'n rhy hwyr oedden ni.'

'Diawch erioed!' ychwanegodd Kid.

Trodd y ddau i wynebu Rhys a Siôn.

'Braf iawn cwrdd â ti, fy machgen i, a diolch am dy help gyda'r bws,' meddai Kid.

'Da boch chi, syr. Mae gennych chi fachgen ardderchog,' meddai Doc, gan godi ei het tuag at Siôn.

Gwenodd Siôn yn amheus ar y ddau gowboi wrth iddyn nhw gerdded yn gyflym ar hyd y ffordd i gyfeiriad y dref.

'Dy ffrindiau?' gofynnodd Siôn.

'O ryw fath,' meddai Rhys. 'Fe … yyym … fe gollon nhw eu bws.'

'Ti'n gwbod beth?' meddai Siôn. 'Does dim ots gen i.'

Cofiodd Rhys y nodyn oddi wrth yr ysgol.

'Rwyt ti wedi bod yn cicio dy sodlau lawr fan hyn achos dy fod ti'n fy osgoi i. Wel, mae'n rhaid iti ddod adre rywbryd neu'i gilydd, ac mae nawr cystal â dim. Rydyn ni'n mynd nôl.'

'Ond Dad!' ochneidiodd Rhys.

'Ffoniodd yr ysgol heddiw. Maen nhw eisiau siarad â fi ynglŷn â dy roi di yn yr uned arbennig. Trion nhw beidio â gwneud iddo swnio'n rhy ddrwg, ond rhyngot ti a fi, mae'n syml. Dwyt ti'n dda i ddim. Rwyt ti'n darllen fel plentyn pum mlwydd oed, rwyt ti'n ysgrifennu fel babi, rwyt ti'n methu chwarae pêl-droed a dwyt ti ddim yn siarad â neb. Maen nhw'n meddwl dy fod ti'n anobeithiol, Rhys,' gwaeddodd Siôn.

Plygodd Rhys ei ben wrth i'w dad barhau i siarad:

'Dw inne hefyd yn meddwl dy fod ti'n anobeithiol. Dwyt ti ddim yn gweithio, does dim ffrindiau gen ti – yr unig beth rwyt ti'n ei wneud yw treulio oriau ar dy ben dy hun lawr fan hyn.'

'A beth wyt *ti'n* ei wneud?' sibrydodd Rhys.

Yn anffodus, clywodd Siôn. 'Beth ddywedaist ti?' meddai, ei lygaid yn fflachio gan ddicter.

'Rwyt ti'n gwneud yn union yr un peth â fi,' saethodd Rhys yn ôl. 'Ond yn lle dod lawr fan hyn rwyt ti'n aros yn y tŷ drwy'r dydd, gan yfed caniau o gwrw a gwylio'r teledu. Dwyt ti ddim yn nabod neb, dwyt ti ddim yn gweithio, dwyt ti'n gwneud dim byd.'

'Mae'n wir – dw i ddim yn gwneud dim byd. Dw i'n aros yn y tŷ achos dw i'n methu mynd allan. Dw i'n methu blydi cerdded. Dw i ddim yn siarad â phobl achos dydyn nhw ddim yn hoffi bod yn fy nghwmni. Mae gen i fwy o fetel yn fy nghoesau na phâr o bolion sgaffaldau. Sefais i ar fom yn Affganistan. Dyna pam dw i fel hyn. Wnes i ddim edrych o 'nghwmpas un diwrnod a meddwl, "Hmmm, beth wnaf i heddiw? Dw i'n gwbod – af i chwilio am fom bach yn cuddio dan y ddaear i weld a yw hwnna'n brifo." Roeddwn i'n anlwcus, a nawr dw i'n talu'r pris. Rwyt ti, ar y llaw arall, yn ddiog ac yn dwp. Wnaeth dim byd ffrwydro dan dy draed di, Rhys bach. Rwyt ti'n disgwyl popeth ar blât. Cer i mewn i'r car.'

Dringodd Rhys i mewn i'r car.

9 Dafi

DOEDD DIM llawer o hwyl ar neb ym mwthyn bach Rhys y noson honno. Roedd Siôn yn grac ac yn dal i sôn yn ddi-baid am ei lwc ddrwg. Taflodd e lyfr ar draws y lolfa at Rhys.

'Darllen e!' gwaeddodd Siôn. Agorodd Rhys y llyfr a cheisio ei ddarllen, ond un o lyfrau ei dad oedd e ac roedd y geiriau'n agos at ei gilydd. 'Fe gei di ddarllen rhywbeth dw inne'n ei hoffi – rhywbeth i bobl mewn oed. Does dim rhyfedd dy fod ti'n methu darllen yr hen stwff 'na o'r ysgol – mae'n ddiflas.'

'Dwyt ti ddim yn deall,' meddai Rhys. 'Dw i'n gallu gweld y geiriau, ond ddim y llythrennau – mae'n rhyfedd.'

Ceisiodd Rhys ddarllen.

'Mae fy ngwraig yn rhedeg bant gyda fy ffrind gorau, dw i'n sefyll ar fom, dw i'n colli coes. "Anlwcus" yn ôl rhai, "ond dim ots, efallai bydd pethau'n gwella." Beth wedyn? Fe ddyweda i wrthot ti beth, Rhys – mae byw lan fan hyn yn yr hen fwthyn 'ma gyda ti yn coroni'r cwbl. Rwyt ti'n wastraff amser a lle.'

Neidiodd Siôn o'i gadair a chipiodd y llyfr oddi ar ei fab. Edrychodd ar y gair roedd Rhys yn ceisio ei ddarllen.

'Enciliodd,' gwaeddodd. 'Mae'n dweud: "Enciliodd y milwyr ar frys i'r tir uchel a gosod gwersyll yno dros nos".'

Dechreuodd Rhys grio.

Agorodd Siôn gan o gwrw. 'Cer i'r gwely,' meddai'n swta.

Doedd Rhys ddim eisiau mynd.

'CER!' gwaeddodd ei dad.

Aeth Rhys.

Ni allai Rhys gysgu. Pryd bynnag y dechreuai bendwmpian byddai lluniau rhyfedd yn saethu i'w feddwl: lluniau o fyddinoedd bwganllyd y Sbanerwyr yn ceisio ei dorri'n ddarnau. Yn ddiweddarach y noson honno, gwrandawodd wrth i Siôn hercian a hanner cwympo ar hyd y landin cyn llwyddo i ddod o hyd i'w ystafell a mynd i'r gwely. Clywodd ddrws ystafell wely ei dad yn cau.

'Are you lonesome tonight? …'

Arhosodd Rhys nes bod canu ei dad yn tewi wrth i hwnnw gwympo i gysgu, yna yn araf bach, sleifiodd e allan o'i ystafell, cripiodd i lawr y grisiau pren nes cyrraedd y cyntedd bach â'r llawr carreg. Yno, mewn bag canfas mawr gwyrdd, roedd tortsh ei dad.

Cymerodd y tortsh a mynd ar flaenau ei draed drwy'r gegin ac allan i'r nos a oedd yn ddi-sêr ac fel y fagddu. Roedd y tortsh, fel popeth arall yng nghit ei dad, yn fawr ac yn bwerus. Llenwodd e'r Lôn Droellog hyd at y ffordd fawr â goleuni lliw arian. Pwyntiodd Rhys y golau at yr arhosfan. Roedd e heb weld y frân cyn hynny, ond nawr dyma'r aderyn yn amrantu arno o'i eisteddle ar y to, eisteddle a oedd i bob golwg yn barhaol. Trotiodd Rhys ar draws y ffordd a mynd yn syth at y glwyd lle roedd e wedi gadael y creision i Wdig. Roedd ganddo fag plastig ac yn hwnnw roedd ychydig o fara, rhagor o ddŵr a phlasteri.

Doedd e'n ddim syndod i Rhys bod Wdig wedi dychwelyd ond neidiodd, er hynny, pan laniodd golau'r tortsh arno.

'Paid â phoeni, dim ond fi sy 'ma,' sibrydodd Rhys a phwyntio'r golau at ei wyneb ei hun fel y gallai Wdig ei weld yn iawn.

'Rhys, beth yn y byd wyt ti'n ei wneud yma yn y ffos?' gofynnodd Wdig, gan wenu.

Eglurodd Rhys na allai gysgu; roedd e'n poeni am bob math o bethau. Roedd e wedi cael ei frifo gan beth ddywedodd Siôn, er i hwnnw ddweud yn y diwedd nad oedd e'n meddwl y rhan fwyaf o'r hyn a ddywedodd. Roedd Rhys yn poeni am Wdig hefyd; dyna pam roedd e wedi dod â rhagor o nwyddau iddo.

Aeth Wdig ati i fwyta'r bara ac yfed y dŵr. Glynodd

Rhys ddau blaster dros y clwyf ar ei ben. Edrychai'r plasteri'n rhyfedd ar ei groen gwyrdd a oedd fel rwber.

'Y lle 'ma yw e,' meddai Wdig. 'Mae 'na rywbeth arbennig yn ei gylch.'

'Yr arhosfan?' gofynnodd Rhys.

'Ie, o fan hyn mae'n dod – y pŵer,' meddai Wdig. 'Dw i ddim yn gwbod pam a dw i ddim yn gwbod sut.'

'Croestorfan yw e,' meddai Rhys. Hyd yn oed ym mherfedd nos roedd yn well ganddo'r arhosfan na'i gartref.

Eisteddodd Rhys ar y llawr wrth ochr Wdig a gofyn rhagor o gwestiynau iddo. Cyfaddefodd Wdig ei fod e wedi clywed am y Garreg Las a'i phwerau hudol, a'i fod e eisiau'r garreg iddo fe ei hun, i'w gadw'n ddiogel.

'Yr unig broblem yw,' meddai Wdig, 'mae blincin pawb arall eisiau'r garreg hefyd.'

'Wyt ti erioed wedi clywed am y Brenin?' gofynnodd Rhys.

Siglodd Wdig ei ben a stwffio rhagor o fara i'w geg. 'Yr hen gowbois 'na luniodd y stori honno er mwyn codi ofn arnat ti,' meddai. 'Llond trol o hen rwtsh yw'r busnes 'ma am y Brenin. Ti yw'r un maen nhw ei eisiau go iawn.'

'Pam?' gofynnodd Rhys.

'Achos taw Unwaith Yn Y Pedwar Gwynt wyt ti. Dyw Unwaith Yn Y Pedwar Gwynt ddim yn mynd i ffwrdd. Allan nhw ddim mynd i ffwrdd. Ti yw'r un wnaeth ddwyn y blincin garreg yn y lle cyntaf. Ti sy'n gallu mynd â nhw at y garreg,' gwaeddodd Wdig, 'ond cer â fi gyda ti yn lle hynny.'

Siglodd Rhys ei ben; ni wyddai ddim oll am gerrig hudol.

Yn sydyn, roedd sŵn clecian amlwg i'w glywed heb fod ymhell i ffwrdd, rhywle yng nghanol y nos. Plymiodd Wdig yn ôl i mewn i'r ffos, gan dynnu Rhys gydag e a boddi golau'r tortsh yr un pryd.

'Cau dy blincin dwll a gwylia,' hisiodd Wdig, gan wasgu ei law dros geg Rhys. 'Y Sbanerwyr sydd yno, yn dynn yn eu metel.'

Diffoddodd Rhys y tortsh. Gorweddodd y ddau ohonyn nhw mewn tawelwch. Nid y Sbanerwyr oedd yno ond Anwen Beic a'i thad. Roedden nhw'n cerdded o gwmpas y cae, yn gynnes yn eu cotiau mawr, ac roedd tortsh ganddyn nhw ill dau hefyd. Wrth iddyn nhw fynd heibio'r glwyd, clywodd Rhys nhw'n siarad, ond ni allai glywed pob gair. Swniai eu lleisiau'n ddifrifol. Doedden nhw ddim yn chwerthin – chwilio oedden nhw. Cariai tad Anwen ddryll dan ei gesail tra daliai Anwen y golau. Wrth iddyn nhw gerdded ymhellach i ffwrdd, rhythodd Rhys ar eu hôl, ei lygaid ar agor led y pen. Trodd at Wdig. Roedd llygaid hwnnw'n amrantu'n araf yn ei ben gwyrdd. Er na chlywodd bopeth, clywodd ddigon, a rhywsut gwyddai Rhys am beth yn union roedd Anwen a'i thad yn siarad. Roedd rhywun wedi dwyn Dafi, hoff ddafad Anwen, ac roedd ei thad yn benderfynol o adael i bwy bynnag oedd yn gyfrifol deimlo ei ddicter.

Sibrydodd Rhys wrth Wdig; er na allai ddeall sut yn hollol y gwyddai hyn, roedd e'n berffaith siŵr ei fod e'n iawn.

'Ti'n gweld,' meddai Wdig yn orfoleddus, 'does dim dwywaith amdani: Unwaith Yn Y Pedwar Gwynt yw Rhys. Rwyt ti'n deall pob math o bethau. Beth sy'n digwydd?'

'Wdig, nid y Sbanerwyr sy draw fan 'na,' meddai Rhys. 'Fy ffrind Anwen sydd yno. Mae Dafi wedi cael ei gipio gan ladron defaid.'

Edrychodd Wdig yn syn arno. Doedd ganddo ddim syniad am beth roedd Rhys yn sôn.

'Dafi'r ddafad,' meddai Rhys. 'Yr un oedd yn gofalu amdanat ti y bore 'ma.'

'O, hwnna,' meddai Wdig. 'Dyw defaid yn golygu dim oll i Wdig.'

'Nawr pwy wyt ti'n meddwl fyddai'n dwyn defaid rownd ffordd hyn?' gofynnodd Rhys.

Meddyliodd Wdig am eiliad, gan grychu ei dalcen a gwneud i'r plasteri symud o gwmpas ar ei ben.

'Sut dylwn i wbod?' meddai Wdig.

'Rhywbeth mae cowbois yn ei wneud yw dwyn defaid, yntefe?' gofynnodd Rhys. 'Ond pam yn y byd y byddai Doc a Kid eisiau cael gafael ar ddafad fel Dafi?'

'Saws mintys a grefi?' awgrymodd Wdig. 'Ambell i daten ac ychydig o foron efallai?'

Ochneidiodd Rhys ac edrych i fyw llygaid amryliw Wdig. 'Dw i ddim yn gwbod pa fath o greadur o'r isfyd wyt ti, Wdig, ond ga' i ofyn cwestiwn iti?'

'Wrth gwrs, bant â'r blincin cart,' atebodd Wdig.

'Oes gen ti unrhyw bwerau arbennig? Ti'n gwbod, pwerau sy'n golygu dy fod ti'n gallu gweld yn glir beth sy'n digwydd a deall popeth achos dy fod ti wedi bod ar dir y byw ers miloedd o flynyddoedd – mae'n bosib dy fod ti yma pan ddaethon nhw o hyd i'r Garreg Las yn y lle cyntaf.'

'O oeddwn. Roedd Wdig yma bryd hynny, gyda'r holl bobl farfog 'na,' meddai Wdig.

'Felly ble mae'r garreg? Beth wnaethon nhw â hi?' gofynnodd Rhys.

'Dyw Wdig ddim yn cofio pethau fel 'na,' meddai. 'Dyw Wdig ddim yn cofio dim byd. Pwerau arbennig o fath gwahanol sy gan Wdig.'

'Dere ymlaen 'te,' ochneidiodd Rhys, 'beth sy'n gwneud iti fod yn arbennig?'

'Cloddio,' meddai Wdig. 'Mae Wdig yn gallu cloddio fel blincin jac codi baw.'

Ochneidiodd Rhys unwaith eto. Roedd hyn mor nodweddiadol – roedd yr unig greadur rhyfedd a oedd i'w weld yn barod i ddweud y gwir wrtho yn methu cofio'r gwir!

'O wel,' meddai Rhys, 'pawb at y peth y bo.'

'Yn hollol,' meddai Wdig. 'Pawb at y peth y bo, a dw i wrth fy modd yn cloddio!'

Ar hynny, aeth ati i gloddio twll dwfn rhyngddyn nhw ill dau, gan daflu chwyn a thalpiau o bridd i'r awyr ac ar ben Rhys. Chwarddodd hwnnw.

'Gwranda,' meddai Rhys, 'wyt ti'n fodlon gwneud rhyfaint o gloddio o fath gwahanol? Twrio yn hytrach na chloddio.'

Tro Wdig oedd e i chwerthin: 'Twrio, cloddio, beth yw'r gwahaniaeth? Mae Wdig wrth ei fodd.'

'Twrio am wybodaeth. Tria ffindio Dafi. Os taw Doc a Kid sy wedi mynd â fe, fydd e ddim yn rhy bell.'

Meddyliodd Wdig am eiliad. 'Y blincin pethau mae rhywun yn gorfod eu gwneud. Iawn. I helpu Rhys, fe ffindia i Dafi.'

Ar hynny, plymiodd Wdig i ganol y clawdd. Cerddodd Rhys yn ôl at yr arhosfan. Taflodd olau'r tortsh mawr i bob twll a chornel fel petai e'n chwilio am gliwiau – cliwiau ynglŷn â beth yn union oedd yn digwydd. Chwifiodd y goleuni o gwmpas yr arhosfan. Doedd dim byd wedi newid; roedd hyd yn oed y frân yn dal i fod yno. Teimlai Rhys yn grac; llenwodd ei lygaid â dagrau. Ni wyddai pam. Meddyliodd am ei dad yn y tŷ ac am ba mor flin y teimlai am fod popeth yn rwtsh. Ac yna meddyliodd amdano fe ei hun a pha mor grac oedd e taw fe oedd yn troi popeth yn rwtsh. Fe oedd yr un oedd heb ffrindiau, yr un oedd yn anobeithiol ar y maes chwarae, yr un oedd yn methu darllen.

Pwyntiodd Rhys y golau at yr amserlen. Edrychodd ar y rhestrau o rifau a geiriau, ac yna sylwodd ar rywbeth. Roedd rhywun wedi ysgrifennu graffiti drosti mewn inc trwchus, du. Rhoddodd ei fys ar y gair cyntaf a'i ddarllen yn araf: 'Gwnewch', yna darllenodd e'r un nesaf, a'r nesaf nes ei fod wedi darllen pob gair. Dywedodd bob un yn uchel ac yn araf:

Gwnewch fel y dywedwn neu fe fydd hi'n ddominô ar y ddafad.

Gyda dyledus barch,

Doc a'r Kid

Edrychodd Rhys o'i gwmpas mewn braw. Diflannodd y ffordd i ganol môr o gysgodion. Doedd dim dal beth a wnâi Doc Penfro a Kid Welly. Roedden nhw eisiau cael gafael ar y garreg iddyn nhw eu hunain. Doedd Rhys ddim yn mynd i gael ei dwyllo eto gan y ddau gowboi yna.

10 Gyrru

GYRRODD RHYS a'i dad heibio i'r arhosfan fore trannoeth. Sugnodd Rhys ar ei losin coch a chraffu ar y safle bysiau. Roedd y frân yno fel arfer a'r cae gwag, ond yn eistedd yno hefyd roedd hen wraig. Gwisgai got wlân frown a het wlân frown.

'Pwy yw honna?' gofynnodd ei dad wrth iddyn nhw yrru yn eu blaenau.

'Dw i ddim yn gwbod ei henw,' meddai Rhys, 'ond dw i wedi cwrdd â hi o'r blaen. Mae hi'n neis. Bydd hi yno am hydoedd os yw hi'n aros am y 479 i Aberteifi.'

Chwarddodd Siôn. 'Taset ti'n treulio hanner cymaint o amser yn darllen llyfrau ag wyt ti'n astudio amserlenni'r bysiau, bydden nhw'n dy anfon di i'r brifysgol. Rhaid ei bod hi'n boeth yn yr holl ddillad gwlân 'na.'

'Hi yw'r Wraig Wlanog,' meddai Rhys.

Gwenodd Siôn wrth iddo yrru. 'Go dda.'

Nodiodd Rhys. Roedd gwell hwyl ar ei dad heddiw. Roedd fel petai popeth yn well.

'Paid â phoeni,' meddai Siôn. 'Fe ddyweda i wrthyn nhw yn yr ysgol i adael llonydd iti – nid dy fai di yw e.'

Doedd fawr o gysur i Rhys yn agwedd ei dad. Rhywsut roedd y ffaith nad oedd e'n disgwyl iddo wneud yn dda iawn yn gwneud i Rhys deimlo bod hyd yn oed ei dad yn meddwl ei fod e'n anobeithiol.

'Bachgen da wyt ti,' meddai Siôn. 'Rwyt ti wastad yn fy helpu, ac mae'n drueni nad wyt ti'n cael marciau am wneud hynny. Fi yw'r poendod mwyaf yn y byd.'

Ond doedd Rhys ddim yn gwrando. Wrth i'r arhosfan ddiflannu y tu ôl iddyn nhw daliodd i edrych ar yr hen fenyw. Roedd hi'n amneidio arno iddo ymuno â hi.

'Dad?' gofynnodd Rhys.

'Beth?' meddai Siôn.

'Y bom 'na.'

'Yr un wnes i sefyll arno?'

'Ie – wyt ti'n meddwl taw anlwc yn unig oedd hynny, neu a ddigwyddodd e achos bod rhywbeth wedi gwneud iddo fe ddigwydd?'

Tawodd Siôn. 'Dw i ddim yn gwbod,' meddai yn y man. Gwenodd e'n drist. 'Efallai fod fy enw arno fe.'

Pan gyrhaeddon nhw'r ysgol aeth Rhys ar ei union i chwilio am Anwen. Holodd e ynghylch Dafi. Roedd hi'n synnu bod Rhys yn gwybod bod Dafi wedi cael ei ddwyn, felly gofynnodd hi iddo sut roedd e wedi clywed. Soniodd Rhys wrth Anwen ei fod e wedi clywed pobl yn chwilio amdano y noson cynt, a dywedodd y byddai'n ei helpu i ffindio Dafi. Dywedodd wrthi na ddylai hi boeni. Ond roedd golwg bryderus ar Anwen.

Digon anodd fu gweddill y diwrnod. Roedd Miss Caradog, pennaeth Anghenion Arbennig, wedi egluro wrth Siôn gymaint roedd hi'n poeni am Rhys. Roedd y ffaith nad oedd e'n gallu ysgrifennu'n dda iawn yn atal Rhys rhag dysgu ym mhob un o'i bynciau. Peth arall oedd yn ei ddal e'n ôl oedd y ffaith nad oedd e'n darllen y llyfrau roddodd hi i Rhys er mwyn ei helpu. Dywedodd hi hefyd fod ganddo "broblemau cymdeithasol" gyda'r plant eraill yn ei ddosbarth. Gwyddai Rhys beth roedd hyn yn ei feddwl – doedd neb yn ei hoffi. Ond wnaeth e ddim sôn bod pethau'n waeth na hynny. Wnaeth e ddim sôn bod Connor Collins a'i griw yn ei blagio am fwy o arian. Yna gofynnodd Miss Caradog i Siôn a oedd popeth yn iawn gartref. Gofynnodd hi sut roedd e'n dod i ben â phethau, achos gwyddai hi am ei goesau, y ffaith ei fod e wedi gorfod mynd â'i gar i gael ei altro er mwyn iddo allu ei yrru â'i ddwylo yn unig, a'r ffaith nad oedd swydd ganddo. Pan glywodd Siôn hyn trodd e'n grac iawn. Gwaeddodd e arni pan ddywedodd hi y gallai ofyn i weithiwr cymdeithasol alw yn y tŷ a'u helpu nhw.

'Rydyn ni'n iawn,' sgrechiodd.

'Dyna'r peth,' meddai Miss Caradog. 'Rydych chi'n meddwl eich bod chi'n iawn, ond dydych chi ddim.

Dyw Rhys ddim yn cyflawni. Dydych *chi* ddim yn cyflawni.'

Ond doedd Siôn ddim am drafod Rhys ragor. Roedd e'n benwan. Gwaeddodd e ar Miss Caradog am eistedd yn gyfforddus mewn swydd fras tra oedd rhai fel fe wedi ymuno â'r fyddin a rhoi eu bywydau mewn perygl er mwyn iddi hi a'i thebyg gael crwydro ar hyd y lle a barnu pobl. Dywedodd Siôn wrthi mai milwr oedd e ac na fyddai byth yn derbyn gorchymyn gan weithwyr cymdeithasol. Gwenodd Rhys pan glywodd e hyn. Ni wyddai Miss Caradog beth i'w ddweud. Arhosodd hi'n ddigynnwrf, er hynny. Daliodd i ddweud mai meddwl am Rhys roedd hi.

Eisteddodd Rhys yno a gwrando. Wnaeth yr un o'r ddau arall ofyn iddo am ei farn yntau. Dechreuodd ei feddwl grwydro yn ystod y ffrae. Meddyliodd am yr arhosfan, am Wdig yn chwilio am Dafi. Aeth e'n ôl dros stori Doc Penfro a Kid Welly. Ai oherwydd bod y Brenin yn dod roedd yr holl bethau drwg yn digwydd? Allen nhw fod yn iawn? A oedd y byd ar fin dod i ben mewn gwirionedd? A oedd popeth yn dibynnu ar ddod o hyd i'r garreg hudol olaf a allai eu diogelu rhag y Brenin? Ai Unwaith Yn Y Pedwar Gwynt oedd e? Ai fe oedd wedi dwyn y garreg yn y lle cyntaf? Sut y gallai ddeall y ddafad a'r frân yn berffaith er na allai siarad yr un gair o'r naill iaith na'r llall? A oedd ei dad a Miss Caradog yn gweiddi nerth eu pennau am fod y byd mewn difrif ar fin cwympo'n ddarnau? Ai dim ond trwy ddod o hyd

i'r Garreg Las roedd modd rhoi trefn ar bethau? Ond doedd gan Rhys ddim clem sut i wneud hynny.

Yn y diwedd, dyma Siôn yn rhoi'r gorau i weiddi. Dywedodd e nad oedd dim pwrpas siarad rhagor. Dywedodd y byddai'n gwneud yn siŵr bod Rhys yn darllen ei lyfrau ac, wrth iddo adael, dywedodd fod y ffaith na allen nhw ddysgu i Rhys sut i ddarllen yn well yn dweud mwy am eu diffyg gallu nhw i wneud eu gwaith nag oedd e am y ffaith na allai Rhys ddarllen yn dda.

'Mae fy mab yn fachgen galluog iawn,' meddai Siôn, gan dynnu ei siaced *khaki* amdano a symud tuag at y drws. 'Mae e jest ychydig yn wahanol i chi a'ch tebyg. Rhyw unwaith yn y pedwar gwynt rydych chi'n dod ar draws rhywun fel Rhys.'

Pan glywodd Rhys ei dad yn defnyddio'r geiriau hyn dihunodd e o'i freuddwydio. Agorodd ei lygaid led y pen. Efallai'n wir mai dyna oedd e – Unwaith Yn Y Pedwar Gwynt. Efallai nad oedd e mor dwp wedi'r cwbl.

Taranodd Siôn adref, gan adael i Rhys fwrw ymlaen â'i wersi. Teimlai Rhys yn wahanol. Ni allai ddweud pam yn union – doedd dim byd da wedi digwydd go iawn – ond teimlai'n well. A dweud y gwir, meddyliodd, er bod pethau newydd droi'n waeth, teimlai'n well.

11 Y Brenin

EISTEDDAI RHYS y tu ôl i Gloria ar y bws, gan wylio'r sbidomedr a meddwl ai dyna oedd e wedi'r cwbl – Unwaith Yn Y Pedwar Gwynt.

Wrth i'r bws ddod yn nes at yr arhosfan roedd e'n synnu gweld bod y Wraig Wlanog yn dal i fod yno. Gwyddai fod saith bws wedi mynd heibio iddi y diwrnod hwnnw.

'Hwyl, Rhys! Wela i di fory,' gwaeddodd Gloria gan ganu'r corn.

Neidiodd e oddi ar y bws a chododd ei law wrth ei wylio'n gadael. Yna trodd at y Wraig Wlanog. 'Beth ydych chi eisiau? Ai aros am y 479 ydych chi neu ydych chi eisiau siarad â fi?' gofynnodd.

Edrychodd y fenyw tua'r llawr. Roedd y chwyrlïad o gerrig a adawodd Kid y diwrnod cynt yn dal i fod yno. 'Ai ti wnaeth hwn?' gofynnodd hi.

'Nage,' atebodd Rhys, 'ond dw i'n gwbod beth mae'n feddwl.'

'Beth?' meddai.

Pwyntiodd Rhys at y garreg wen yn y canol. 'Dyna'r Brenin,' meddai, 'a'r holl gerrig bach fan hyn yw popeth arall. A beth sy'n digwydd yw bod y Brenin yn eu sugno nhw i mewn fesul un ac mae'n dinistrio popeth. Mae e'n dod ar ôl y Garreg Las a phan fydd e'n ei ffindio – pop! – bydd hi'n ddominô ar bopeth. Mae wedi bod ar y gweill ers miloedd o flynyddoedd.'

Nodiodd yr hen wraig. 'Ai ti sy wedi gweithio hwnna allan ar dy ben dy hun?' gofynnodd hi.

'Mewn ffordd,' meddai Rhys.

'Mae 'na ffordd arall o edrych ar bethau,' meddai hi, gan godi'r garreg fach wen yn y canol a'i rhoi i Rhys. 'Dyna'r Garreg Las, ac mae popeth yn aros yn ei le am ei bod yn ddiogel,' ychwanegodd hi dan wenu. 'Dwed wrtha i, Rhys, ble rwyt ti'n meddwl mae'r Garreg Las?'

'Dw i ddim yn gwbod,' atebodd e, gan godi ei ysgwyddau. 'Gallai fod yn rhywle – mae 'na filiynau o gerrig rownd ffordd hyn.'

'Ond rwyt ti'n arbennig – rwyt ti'n gallu synhwyro pethau, rwyt ti'n gallu teimlo pŵer y garreg am dy fod ti'n arbennig. Rwyt ti'n cofio, on'd wyt ti?'

'Mae gen i *anghenion* arbennig, dyna chi'n feddwl,' chwarddodd Rhys. 'Taswn i'n glyfar fyddai dim rhaid imi ddarllen y llyfrau twp 'na â phrint mawr ar gyfer plant bach.'

'Rwyt ti'n gallu darllen yn iawn,' meddai'r Wraig Wlanog, 'ond bod dy ffordd di o ddarllen yn wahanol.

Rwyt ti'n gwbod yn union beth sy'n digwydd dim ond trwy ei deimlo fe.'

Edrychodd Rhys ar yr hen fenyw. Ni allai weld ei hwyneb yn ddigon clir o dan yr het wlân fawr oedd ar ei phen.

'Paid â chredu'r cowbois. Maen nhw eisiau'r garreg iddyn nhw eu hunain,' meddai'r wraig.

'Beth am Wdig?' gofynnodd Rhys.

'Mae pob un ohonon ni am ffindio'r garreg, ond y Brenin yw'r mwyaf peryglus achos, os bydd hwnnw'n ei chael hi, bydd pethau'n troi'n ddrwg iawn, iawn. Bydd popeth yn dod i stop. Cadwa'r garreg fach 'na, Rhys – dyw fy mhwerau ddim mor gryf ag y buon nhw. Ond os byddi di'n mynd i drafferth, tafla hi a gweld beth ddigwyddith. Efallai y bydd hi o help,' meddai'r Wraig Wlanog.

'Pwy ydych chi?' gofynnodd Rhys.

'Hen fenyw ydw i, dyna i gyd,' meddai'r Wraig Wlanog.

'Beth yw'ch oedran chi?'

'Cwestiwn da. Dw i'n hŷn nag y gelli di byth ei ddychmygu. A dweud y gwir, dw i ond ychydig yn hŷn na ti. Roedden nhw'n arfer galw rhywun fel fi yn dduwies. Pan oeddwn i'n ifanc roedd pobl yn arfer fy addoli. Erbyn hyn, maen nhw wedi rhoi tocyn bws i fi! Dim ond hen wraig wlanog ydw i,' ochneidiodd hi. 'Dw i jest ddim eisiau gweld popeth yn troi'n llwch – yn enwedig ar ôl cymaint o amser.'

Roedd y bws 479 sgleiniog, glas yn dringo'r rhiw. Gallai Rhys ei weld e'n arafu wrth i'r hen fenyw godi ei llaw i'w stopio. 'Wnei di ddim fy ngweld i eto,' meddai'r Wraig Wlanog. 'Dw i'n rhy wan i herio'r holl ysbrydion rownd ffordd hyn ond rwyt ti, Rhys, yn gryf – Unwaith Yn Y Pedwar Gwynt wyt ti ac rwyt ti'n gallu ei wneud e.'

'Gwneud beth?' gofynnodd Rhys wrth iddi gamu ar fwrdd y bws.

'Ffindio'r garreg ac atal y Brenin,' meddai dan wenu. 'Dw i'n gorfod mynd.'

Mr Dickinson oedd yn gyrru'r bws; gwenodd a chododd ei law ar Rhys. 'Shwmae Rhys,' gwaeddodd e wrth iddo daro cip ar docyn bws yr hen fenyw. Yna gyrrodd i ffwrdd.

Teimlodd Rhys y garreg fach yn ei law. Roedd arno awydd ei thaflu i weld beth fyddai'n digwydd. Ond wnaeth e ddim. Yn lle hynny, rhedodd e at y ffos wrth ymyl y glwyd.

'Wdig!' galwodd e nerth ei lais.

Roedd rhyw siffrwd yn y clawdd i lawr ar ochr arall y cae. Roedd e'n debyg i dywod sych yn chwythu ar draws traeth. Hyrddiodd tuag at Rhys, i fyny'r cae, gan droi'r gornel a gwibio tuag at y glwyd. Yn sydyn, gan frwydro i gael ei wynt ato, rholiodd Wdig allan o'r ddaear.

'Hisht, y twpsyn,' hisiodd Wdig.

'Ffindiest ti Dafi byth?' gofynnodd Rhys.

'Do, mae Wdig wedi ffindio Dafi, ond dyw e ddim

mewn lle da,' meddai Wdig. 'Oes gen ti rywbeth i'w fwyta?'

Roedd Rhys wedi nôl pot pasta o'r cantîn yn yr ysgol, a dyma fe'n ei roi i Wdig.

'Mae Dafi yn y dre, wedi ei glymu mewn bocs tywyll,' meddai Wdig wrth iddo gnoi'r clawr oddi ar y pot pasta. 'Y cowbois 'na gipiodd e. Maen nhw'n dweud y caiff e fynd yn rhydd dim ond ar ôl iddo ddweud wrthyn nhw ble mae'r garreg. Maen nhw'n dweud eu bod nhw'n mynd i ddefnyddio Dafi er mwyn dy ddal di. Os na wnei di eu helpu nhw, bydd Dafi'n gorffen ei ddyddiau fel cebab. Dyna ddywedon nhw.'

'Iawn 'te,' meddai Rhys, 'mae'n rhaid inni ei achub.'

'Mae Wdig yn hoffi cebab,' meddai Wdig.

'Dwyt ti ddim yn cael bwyta Dafi; fe yw ein ffrind,' meddai Rhys.

'Mae'r Sbanerwyr eisiau bwyta Wdig,' meddai Wdig.

'Dw i'n gwbod dim am y Sbanerwyr 'ma – wyt ti'n siŵr nad yn dy ddychymyg maen nhw?'

Roedd golwg wedi ei frifo ar Wdig. Neidiodd i fyny ac i lawr yn ddig ac yn gyffro i gyd. 'Maen nhw ym mhobman, maen nhw fel blincin morgrug.'

'Wel, dw i erioed wedi gweld yr un ohonyn nhw,' meddai Rhys. 'Mae'n rhaid inni achub Dafi, ac yna, efallai dylen ni chwilio am y Garreg Las.'

'Blincin anhygoel,' cwynodd Wdig. 'Clyw Rhys yn siarad. A sut yn union mae disgwyl inni wneud hynny?'

'Dw i ddim yn gwbod. Gad imi feddwl. Bydd rhaid

imi fynd adre'n gynta ac ymarfer darllen. Ond fe ddo i'n ôl,' meddai Rhys.

'Mae Rhys yn gallu darllen?' gofynnodd Wdig.

'...Ydw,' meddai Rhys.

'Blincin clyfar, on'd wyt ti?' meddai Wdig yn llawn edmygedd.

'Dere i gwrdd â fi fan hyn yn nes ymlaen,' meddai Rhys.

'Oes cynllun gan Rhys?' gofynnodd Wdig.

'...Oes,' atebodd Rhys, ond doedd hynny ddim yn hollol wir mewn gwirionedd, ond gwyddai ei fod e'n gorfod mynd adref er mwyn ymarfer ei ddarllen. Roedd Rhys yn barod i wneud unrhyw beth yn y byd i stopio ei dad rhag meddwl ei fod e'n anobeithiol.

12 Adref

Y NOSON honno, eisteddodd Rhys wrth y bwrdd a darllenodd ei lyfr o'r ysgol. Teitl y llyfr oedd *Ar Ffo*. Stori oedd hi am fachgen a redodd i ffwrdd. Doedd gan Rhys fawr o feddwl o'r stori – a chymerodd hydoedd iddo roi'r holl lythrennau yn y geiriau at ei gilydd. Darllenodd e dair tudalen. Gallai weld bod Siôn wedi cael ei blesio.

Yna gwyliodd ambell raglen ar y teledu gyda Siôn cyn mynd i'r gwely. Yn lle cwympo i gysgu yn syth, arhosodd e ar ddi-hun. Er mwyn helpu'r amser i fynd yn gynt, darllenodd e amserlenni'r bysiau. Roedd darllen yr amserlenni'n haws o lawer i Rhys na darllen llyfrau. Efallai am eu bod nhw'n llawn rhestrau yn hytrach na brawddegau ac wedi eu hysgrifennu i fyny ac i lawr yn lle ar draws. Gyda'r amserlenni gallai Rhys ddilyn llwybrau'r bysiau, rhoi gyrwyr a bysiau gyda'i gilydd a dychmygu'r holl lefydd y bydden nhw'n eu pasio ar y ffordd. Dyna pam roedd e wedi gludo amserlenni ar draws pob wal yn ei ystafell wely. Nid dim ond ei fws ei hun, na rhai'r Brodyr Williams, na hyd yn oed rai Cymru. Gallai Rhys weithio siwrnai o Hwlffordd i Istanbwl dim ond trwy edrych ar y rhestrau ar wal ei ystafell wely.

Ymhen hir a hwyr, tua chanol nos, clywodd e Siôn yn dringo'r grisiau. Roedd e wedi yfed gormod o ganiau, roedd e'n sigledig ac yn gorfod defnyddio'r canllawiau a'r waliau i'w atal rhag disgyn oddi ar ei goesau. Clywodd Rhys ei dad yn mwmian iddo'i hun: 'Yr hen goesau rwtsh 'ma!' wrth iddo ganu ei hoff gân Elvis: 'Are you lonesome tonight?'

Ddeg munud yn ddiweddarach, sleifiodd Rhys i lawr y grisiau. Yn dawel fach, chwiliodd trwy fag canfas ei dad yn y cwtsh dan stâr. Roedd pob math o bethau defnyddiol ynddo, pethau o'r fyddin yn bennaf – darnau o hen rwydi cuddliw, tortsh mawr, balaclafa a sawl peth arall. Tynnodd Rhys y balaclafa dros ei ben ac aeth â'r tortsh a'r rhwydi cuddliw. Gwyddai na fyddai neb yn gallu gweld Wdig – roedd e'n wyrdd yn barod – ond ofnai Rhys y byddai'n haws i rywun ei weld yntau yn y nos heb y cuddliw.

Sleifiodd e allan o'r tŷ a rhedeg ar hyd y Lôn Droellog; croesodd e'r ffordd, a oedd yn dawel fel y bedd, a chyrhaeddodd yr arhosfan bwganllyd, gwag. Roedd y nos yn ddu ac yn oer.

'Wdig,' hisiodd Rhys.

Roedd Wdig yn cysgu fel mochyn yn ei ffau. Agorodd ei lygaid. 'Beth yn y blincin byd sy'n digwydd?' gofynnodd e'n syn.

Esboniodd Rhys eu bod nhw ar berwyl arbennig. Yna cychwynnon nhw gyda'i gilydd ar draws y caeau tuag at y dref.

Cadwon nhw at y cloddiau, gan blygu'n isel. Roedd Wdig yn gynt o lawer na Rhys. Gallai dyllu'n syth trwy gloddiau tra bod Rhys yn gorfod sgrialu orau y gallai, gan grafu ei ddwylo ar y drysi a'r drain.

'Cadwa dy ben lawr a bydd ddistaw,' hisiodd Wdig.

Roedd Rhys yn meddwl ei fod e'n gwneud yr union beth.

'Maen nhw'n gallu dy wynto,' meddai Wdig.

'Pwy?' gofynnodd Rhys, ac yntau'n brwydro i gael ei wynt ato ac i aros wrth gwt ei ffrind.

'Ym mhobman. Maen nhw'n edrych â'u llygaid.' Pwyntiodd Wdig at dderwen. 'Lan yn y canghennau 'co – edrych ar eu llygaid.'

Hedfanodd tylluan yn isel rhwng Wdig a'r goeden, fel drôn distaw. Ebychodd Rhys.

'Nid y blincin tylluanod,' hisiodd Wdig. 'Y *tu ôl* i'r tylluanod.'

Craffodd Rhys ar y goeden mor galed ag y gallai, ac yna fe'u gwelodd. Creaduriaid llygadrwth ar ddwy goes yn sgrialu ar hyd y canghennau a'r brigau. 'Beth ydyn nhw?'

'Pethau'r nos, pethau arswydus – fe wnân nhw ddwyn popeth oddi arnat ti yn y nos – maen *nhw* hefyd wedi cyrraedd yma, yr un peth â'r lleill. Fel y tylwyth

teg rydych chi, fodau dynol, yn eu nabod – ond ti'n gwbod beth dw i'n eu galw nhw?'

Siglodd Rhys ei ben.

'Y tylwyth drwg,' meddai Wdig. 'Maen nhw'n cropian ar hyd y lle gefn trymedd nos ac yn dwyn dy bethau gorau di. Maen nhw'n boendod – gwylia nhw! Maen nhw'n ein dilyn ni.'

Wrth i'r ddau ei heglu hi ar draws y cae, gallai Rhys weld yn gliriach erbyn hyn – haid o greaduriaid bach â ffyn yn eu dwylo yn rhedeg ar eu holau. Pryd bynnag y trodd ei ben i edrych dros ei ysgwydd, safodd y creaduriaid yn stond ac ymdoddi i'r tywyllwch.

Ymhen ychydig, cyrhaeddon nhw goedwig wrth ochr y nant a arweiniai i'r dref.

'Mae'r Sbanerwyr yn gwersylla i mewn fan hyn – mae'n rhaid iti fod yn dawelach nag un o'r Tylwyth Drwg,' meddai Wdig.

Cripiodd y ddau drwy'r goedwig, gan fynd heibio i'r Sbanerwyr. Ni welodd Rhys nhw, dim ond clywed sŵn eu chwyrnu; roedd y sŵn yn debyg i filoedd o beiriannau anadlu mewn ysbyty. Roedd gwynt rhyfedd yn yr awyr. Sniffiodd Rhys – roedd e'n ei atgoffa o'r olew y byddai ei dad yn ei ddefnyddio i lanhau ei ddryll hela.

Yn y diwedd, daethon nhw at gyrion y dref, lle mae'r afon yn cwrdd â'r môr.

Yma roedd goleuadau'r stryd yn eu helpu i ffindio'u ffordd. Cydiodd Wdig yn llaw Rhys a'i arwain at glwstwr o adeiladau carreg, rhai oedd wedi mynd rhwng y cŵn a'r brain, wrth ochr y brif ffordd i Aberteifi.

'Mae Dafi mewn man 'na,' meddai Wdig, gan bwyntio at adeilad bach sgwâr heb do. 'Hen dwlc moch yw e.'

'Ble mae Doc a'r Kid?'

Cododd Wdig ei ysgwyddau: 'Dyw Wdig ddim yn gwbod popeth.'

Roedd adeilad carreg arall gerllaw – hen fwthyn cam a golau melyn yn treiddio trwy un o'r ffenestri. Wrth iddyn nhw symud yn nes, gallen nhw glywed sŵn canu a thannau gitâr yn cael eu plycio. Doc Penfro a Kid Welly oedd yno, yn strymian eu canu gwlad a chanu cowboi tan berfeddion y nos.

Dringodd Rhys ac Wdig ar ben waliau'r hen dwlc mochyn a thaflu cip i mewn trwy'r bylchau lle roedd y llechi'n arfer bod. Yno mewn cornel, a'i ben i lawr, safai Dafi. Gwelson nhw fod drws hefyd, ond roedd e ar gau. Llithrodd Rhys yn ôl i'r llawr a, gyda'i gilydd, aeth y ddau ati i geisio gwthio'r drws ar agor. Ni symudodd yr un fodfedd – ond cadwodd e lawer o sŵn.

'Gwthia fe,' sibrydodd Rhys.

'Mae Wdig *yn* gwthio,' hisiodd Wdig. 'Mae'r hen beth wedi'i gloi fel cragen gocos.'

Ni sylwodd yr un ohonyn nhw fod y gerddoriaeth wedi dod i ben. Dalion nhw i guro a gwthio'r drws. Rhys oedd y cyntaf i stopio. Trodd ac edrych ar adeilad Doc a'r Kid. Agorodd y drws i'r adeilad hwnnw a chamodd y ddau ddyn allan.

'Glywais ti rywbeth?' gofynnodd Kid.

'Do,' meddai Doc. 'Well inni fynd i weld sut mae'r ddafad.'

Cerddodd Doc a'r Kid tuag at y twlc mochyn, gan fflachio tortsh. Rhewodd Wdig a Rhys yn y fan a'r lle – allen nhw ddim symud rhag ofn iddyn nhw gael eu gweld – eiliadau yn unig fyddai hi cyn iddyn nhw gael eu dal. Diffoddodd Rhys ei dortsh, gan ddal ei fys ar y switsh wrth iddo'i wneud. Cwympodd y tortsh o'i law a glanio ar y llawr. Caeodd ei lygaid, gan hanner disgwyl i Doc neu Kid glywed y sŵn.

Ond wnaethon nhw ddim clywed. Cerddodd y ddau yn araf tuag at y twlc, gan fflachio eu tortsh eu hunain i bob twll a chornel.

Wrth i'r ddau gowboi stompio'n nes atyn nhw, dyma Rhys ac Wdig yn teimlo eu hunain yn cael eu codi i'r awyr yn dawel fach. Roedd breichiau tenau blewog, fel breichiau mwnci, gyda dwylo meddal ac ewinedd hir, yn gafael yn eu hysgwyddau ac yn eu tynnu i fyny'n ddistaw i ganghennau rhyw goeden.

Roedd gormod o ofn ar Rhys i weiddi. Wrth i'w draed ddiflannu i ganol y dail, cerddodd Doc a'r Kid heibio'r man lle roedd e'n sefyll. Edrychodd Rhys o'i gwmpas yn daer. Ar yr un gangen, gwelodd e Wdig â llaw flewog wedi'i chau am ei geg.

Oddi tanyn nhw datglodd Doc a'r Kid y twlc mochyn a mynd i mewn.

Camodd Dafi'r ddafad tuag yn ôl. Pwyntiodd Doc olau'r tortsh yn ei wyneb. Y Kid ofynnodd y cwestiynau. 'Iawn 'te'r hen ddafad, mae 'na ffordd hawdd o wneud hyn, neu mae 'na ffordd anodd. Dwed wrthon ni ble mae'r Garreg Las hudol?'

Syllodd Dafi'n syth yn ei flaen, gan lithro ei geg o ochr i ochr, fel petai'n cnoi gwm.

'Rydyn ni'n gwbod dy fod ti'n nabod Rhys, y bachgen yn yr arhosfan. Rydyn ni'n gwbod bod Rhys wedi ffindio'r Garreg Las. Rydyn ni'n gwbod taw Unwaith Yn Y Pedwar Gwynt yw e am ei fod e'n deall pŵer y lle arbennig hwnnw. Fe yw'r unig un sy byth yn mynd i'r arhosfan 'na. Nawr dwed wrthon ni beth mae'r bachgen yn ei wbod ac awn ni â ti'n ôl i dy gae,' meddai Kid.

Ni symudodd Dafi.

Fflachiodd Doc y golau yn wyneb y ddafad.

'Dwed wrthon ni, y twpsyn! Dwed wrthon ni neu fe gei di dy rostio go iawn!' gwaeddodd Doc.

Clipiodd Dafi ei lygaid yn y golau llachar. Ond ni symudodd. Ni ddywedodd yr un gair. Roedd yn ddafad ddu o'r radd flaenaf.

Uwch eu pennau, gwyliodd Rhys mewn arswyd wrth i Doc a'r Kid weiddi ar Dafi. Yna dechreuodd e gael ei symud eto.

13 Oddi Cartref

CAFODD WDIG a Rhys eu pasio gan y dwylo ar hyd canghennau'r hyn a deimlai fel cannoedd o goed. Cawson nhw eu swingio i ffwrdd oddi wrth y twlc mochyn, yr hen fwthyn gwag a pherygl Doc a Kid. Yn y diwedd, daeth y dwylo i ben. Gollyngon nhw Wdig yn gyntaf. Glaniodd e'n glatsh ar lawr y goedwig. Yna ymunodd Rhys ag e.

'Beth ddigwyddodd?' hisiodd Rhys.

'Y Tylwyth Drwg,' eglurodd Wdig. 'Mae ar ben arnon ni. Maen nhw siŵr o fod yn mynd i'n trywanu gyda'u pethau gludiog.'

Ar hynny, dyma un ohonyn nhw'n cwympo o'r goeden – un bach, tua'r un maint â chath neu gi, gyda llygaid melyn mawr, breichiau blewog hir a thraed fel crafangau. Cwympodd rhagor o'r Tylwyth Drwg o dipyn i beth, gan lanio ar y llawr fel llwch. Doedd hi ddim hyd yn oed yn bosib eu clywed nhw'n anadlu.

'Beth sy eisiau arnoch chi?' gofynnodd Rhys.

Dyma'r un cyntaf ohonyn nhw'n tapio'r llawr â'i grafanc.

'Yn bwysicach na hynny,' meddai, 'beth sy eisiau arnoch *chithe*?'

Ebychodd Rhys wrth glywed llais y creadur. Roedd yn llyfn ac yn fwyn a swniai fel canu grwndi cath, neu fel cleren yn y glust. Suodd a phlyciodd y tu mewn i'w ben. Gwnaeth iddo guro ei glustiau â chledrau ei ddwylo. Roedd hi fel petai rhywun yn siarad ag e o'r tu mewn.

Pwysodd Wdig yn ei flaen tuag at Rhys. 'Paid â siarad â nhw. Paid â chredu dim byd maen nhw'n ei ddweud. Os dywedi di'r un gair, maen nhw'n siŵr o dy drywanu.'

Ond ni allai Rhys weld unrhyw werth peidio â siarad. Wedi'r cyfan, roedd y Tylwyth Drwg newydd ei dynnu fe ac Wdig allan o le annifyr iawn, a hynny â gofal mawr. Petai'r Tylwyth Drwg heb gyrraedd yr eiliad honno byddai Doc a'r Kid wedi eu dal.

'Roedden ni'n trio achub y ddafad,' meddai Rhys.

Sgrechiodd Wdig; roedd e'n gandryll. 'Paid â siarad â'r hen Dylwyth Drwg 'na,' gwaeddodd. 'Mae newyddion drwg wedi bod yn eu dilyn nhw ers miloedd o flynyddoedd – fydden nhw ddim yn meddwl dwywaith cyn dwyn dy stwff a rhedeg bant â'r pethau gorau.'

'Pam?' gofynnodd y creadur, gan anwybyddu Wdig.

'Achos bod y ddafad yn perthyn i'm ffrind,' meddai Rhys.

Nodiodd y creadur. 'Ydy'r ddafad yn gwbod rhywbeth?' gofynnodd.

Meddyliodd Rhys am eiliad. Doedd e ddim yn siŵr faint yn hollol roedd Dafi, y ddafad ddu, yn ei wybod. 'Dw i ddim yn gwbod,' meddai. 'Pethau defaid yn bennaf. Mae e'n byw a bod ar bwys fy arhosfan.'

'Dw i'n gwbod hynny,' meddai'r creadur. 'Ond ydy e wir yn gwbod rhywbeth pwysig? Ydy e'n gwbod am y garreg hudol? Ydy e'n gwbod taw ti yw'r un ddaeth o hyd i'r hen, hen bwerau sy'n codi o'r ddaear wrth y croestorfan cosmig lle rwyt ti wedi adeiladu dy arhosfan? Ydy e'n gwbod bod y Brenin wedi anfon byddin o Sbanerwyr i ffindio'r garreg sydd ar goll? Ydy e'n gwbod, os byddan nhw'n ei ffindio, y bydd popeth, hyd yn oed y Tylwyth Drwg, yn dod i ben?'

Doedd ar Rhys ddim awydd dweud nad fe ei hun adeiladodd yr arhosfan – dim ond hoffi mynd yno i chwarae roedd e.

'Ydy e'n gwbod mai Unwaith Yn Y Pedwar Gwynt wyt ti achos mai ti yw'r person ddaeth o hyd i'r lle?'

'Dw i ddim yn meddwl,' meddai Rhys. 'Dw i'n credu taw jest eisiau helpu mae e.'

Roedd y Tylwyth Drwg yn dechrau dod ynghyd bellach, ac roedd mwy ohonyn nhw nag o'r blaen. Gallai Rhys weld eu llygaid melyn yn syllu i lawr arnyn nhw o'r coed a gallai weld eu cyrff blewog yn gwibio i mewn ac allan rhwng y canghennau. Ond ni allai eu clywed.

Roedden nhw'n hollol ddistaw – yn ddychrynllyd, meddyliodd. Dim ond un siaradodd.

'Dyw pobl ddim yn hoffi'r Tylwyth Drwg,' meddai hwnnw. 'Rydyn ni'n cadw gyda'n gilydd. Rydyn ni'n byw ar wahân ac mae gennyn ni ein rheolau ein hunain.'

Camodd Wdig yn ôl – roedd yn gas ganddo'r Tylwyth Drwg. 'Mae pethau pigog, gludiog yn dod,' rhybuddiodd.

'Mae'n wir. Os na fydd rhywun yn ein parchu ni – fel yr hen anghenfil hyll fan hyn sy'n drewi o'r ffosydd – caiff wbod ei hyd a'i lled hi gyda ni'n ddigon buan,' meddai'r creadur, gan gicio Wdig yn ei ben-ôl. 'Ond dydyn ni ddim yn ddrwg, rydyn ni'n dilyn ein rheolau ein hunain, rydyn ni'n gwbod y gwahaniaeth rhwng da a drwg ac rwyt ti, Rhys, wedi bod yn dda. Rwyt ti'n siarad â ni heb ofn,' meddai.

'Am nad yw e'n hanner call, dyna pam!' meddai Wdig.

Cafodd Wdig gic arall ganddo.

'Ddim fel ti. Mae angen rhywbeth arnon ni,' meddai'r creadur, 'rhywbeth gafodd ei golli filoedd o flynyddoedd yn ôl. Carreg Las â phŵer anferthol. Dyma fydd yn ein cadw ni'n ddiogel pan ddaw'r Brenin. Mae hi yma'n rhywle. Ond ble? Ydy'r ddafad yn gwbod? Wnaiff y ddafad ei dangos hi i'r Brenin?'

Siglodd Rhys ei ben. Roedd e'n siŵr bod Dafi eisiau'r garreg gymaint ag unrhyw un arall. Roedd e'n siŵr bod Dafi'n meddwl ei fod *yntau'n* gwybod, ac am nad oedd gan Rhys ddim clem yn y byd ble roedd y Garreg Las ryfedd roedd pawb eisiau cael gafael arni, roedd e'n siŵr nad oedd gan y ddafad ddim clem ble roedd hi chwaith.

'Na wnaiff,' meddai Rhys. 'Dyw Dafi ddim yn gwbod.'

'Dim ond *ti* sy'n gwbod,' meddai'r creadur. 'Neu efallai, dim ond ti *fydd* yn gwbod. Pan ddaw'r amser – wnei di fynd â ni at y garreg?'

Nodiodd Rhys. 'Os ffindia i hi, chi fydd y cyntaf i wbod.'

Yn sydyn, daeth sŵn clonciog – metel yn crafu'n erbyn metel – i dorri ar draws eu sgwrs. Yn hollol ddistaw, dechreuodd y Tylwyth Drwg ddiflannu.

'Gwylia dy hun ar dy ffordd adref,' rhybuddiodd y creadur. 'Mae Sbanerwyr y Brenin wedi cyrraedd.' A heb yr un smic, ymdoddodd i'r nos.

Doedd gan Rhys ddim amser i feddwl. Cydiodd e yn Wdig gerfydd ei war a'i dynnu mor galed ag y gallai. Clywodd e ragor o synau – metel yn crensian ac yn griddfan yn uwch – yn martsio gyda'i gilydd.

'Beth yn y byd wyt ti'n wneud?' gwaeddodd Wdig.

'Beth wyt ti'n feddwl,' sgrechiodd Rhys. 'Rhed!'

Doedd dim angen ail gyfle ar Wdig.

Rhuthron nhw allan o'r goedwig ac yn ôl i'r caeau. Gallen nhw glywed rhagor o Sbanerwyr yn dihuno o'u trwmgwsg. Llenwyd awyr y nos â sŵn metel rhydlyd yn crensian ar fetel. Y tro diwethaf i Wdig gwrdd â'r Sbanerwyr trion nhw ei fwyta!

'Mae'r blincin Sbanerwyr yn codi nawr. Dere, Rhys – symuda dy stwmps!' gwaeddodd Wdig.

Y daith yn ôl oedd y peth mwyaf brawychus i Rhys ei brofi erioed. Hedfanodd saethau metel allan o ganol y coed du yn y goedwig. Neidiodd Sbanerwyr allan o'r cysgodion, gan chwifio'u cleddyfau rhydlyd, bwyelli a'u pastynau pigog, metel. Ond roedd Wdig a Rhys yn ysgafn ar eu traed ac yn ddigon bach i wibio heibio iddyn nhw. Un tro, cydiodd un o'r Sbanerwyr yn nhroed Rhys ond daeth Wdig yn ôl a tharo llaw'r Sbanerwr mor galed a'i chwalu'n racs jibidêrs. Roedd hi fel bricsen yn chwalu hen gloc.

'Diolch,' anadlodd Rhys.

'Y twpsyn shwt ag wyt ti, yn gadael i'r hen anghenfil 'na afael yn dy droed,' mwmiodd Wdig wrth redeg.

Yna, wrth iddyn nhw gyrraedd y glwyd lle byddai Dafi wastad yn sefyll yn ystod y dydd, a dechrau dringo drosti, fe ddigwyddodd. Cafodd Wdig ei daro gan saeth. Saethodd ei freichiau i'r awyr a chwympodd yn glatsh i'r llawr yr ochr anghywir i'r glwyd. Roedd Rhys eisoes wedi neidio – gallai weld yr arhosfan a'r ffordd fawr ychydig fetrau i ffwrdd. Trodd i chwilio am Wdig.

'Cer!' meddai Wdig o'r düwch yr ochr arall i'r ffens. 'Maen nhw wedi dal Wdig reit i wala.'

Gallai Rhys weld y colofnau o Sbanerwyr yn martsio i fyny'r bryn; gallai glywed yr esgidiau metel yn taro'r ddaear yn drwm fel byddin o robotiaid. Am eiliad, oedodd Rhys. Roedd Wdig yn pwyntio at yr arhosfan ac yn ei rybuddio i ffoi cyn i'r Sbanerwyr ei ladd yntau hefyd. 'Allan nhw ddim dy ladd di ar bwys yr arhosfan,' sibrydodd. 'Mae'n rhaid iti ffindio'r blincin garreg!'

Neidiodd Sbanerwr allan o'r tywyllwch a dal ei fwyell dros Wdig. Caeodd Wdig ei lygaid. Edrychodd Rhys mewn braw wrth i'r creadur metel sgrap oren a rhydlyd godi ei fwyell, ei wên ddanheddog ddu yn fflachio ar draws ei wyneb padell ffrio.

'Dim peryg!' gwaeddodd Rhys.

Heb feddwl rhagor, taflodd ei hunan yn ôl dros y glwyd. Rhuthrodd at y Sbanerwr a'i benio yn ei ganol, gan ei fwrw tuag yn ôl gyda chlonc. Cwympodd y Sbanerwr ar y gwair mwdlyd a brwydrodd i godi ei hunan yn ôl ar ei draed. Tynnodd Rhys Wdig gerfydd ei fraich a'i daflu dros ei ysgwydd cyn rhuthro at y glwyd. Gwthiodd e ei ffrind dros y glwyd a'i ollwng yr ochr arall cyn neidio dros y bar uchaf. Yna llusgodd e Wdig i mewn i'r arhosfan.

'Mae wedi canu ar Wdig!' anadlodd Wdig.

'Beth alla i wneud?' gofynnodd Rhys ac yntau'n ymwybodol o'r ffaith bod cloddiau ac ymylon caeau ym mhobman yn llawn Sbanerwyr â llygaid metel.

'Ddown nhw ddim mewn fan hyn,' meddai Wdig. 'Croestorfan yw hwn.'

'Dw i'n gwbod – llwybr hedfan Pen Caer a llwybr bysiau Tyddewi i Aberteifi – ond alla i yn fy myw ddim gweld sut mae hynny'n ein helpu ni,' meddai Rhys.

'Lle hudol yw e,' ebychodd Wdig. 'Wnei di addo imi y

gwnei di bopeth i ffindio'r garreg? Os daw'r Sbanerwyr o hyd iddi byddan nhw'n ei rhoi i'r Brenin a bydd hi'n ddominô ar bob un ohonon ni.'

'Dominô?' gofynnodd Rhys.

'Dominô,' meddai Wdig. 'Diwedd y gêm.'

Caeodd Wdig ei lygaid. Gorweddai'n hollol lonydd ar y graean ar lawr yr arhosfan, gwaed gwyrdd yn llifo o'r twll yn ei frest lle roedd y saeth fetel wedi ei daro. Chwiliodd Rhys yn daer am rywun i'w helpu, ond roedd y ffordd yn ddistaw, bron fel afon arian yng ngolau gwan y sêr. Wrth iddo gerdded yn ôl ac ymlaen ar hyd yr arhosfan, ceisiodd feddwl beth fyddai ei dad wedi'i wneud yn y fyddin.

Safodd Rhys wrth fynedfa'r arhosfan a gweiddi nerth ei ben. 'Dyn wedi'i anafu!' Cofiodd fod ei dad wedi dweud wrtho mai dyma y bydden nhw'n ei ddweud yn y fyddin pan fyddai rhywun yn cael ei daro. Byddet ti'n gweiddi, ac achos dy fod ti gyda dy fêts, achos dy fod ti gyda dy uned, os oedd rhywun yno bydden nhw'n dod i helpu. Dyna wnaeth mêts Siôn iddo yn Helmand. Roedd hi fel galwad frys arbennig, i'w defnyddio dim ond pan fyddai rhywun yn cael ei daro.

'Dyn wedi'i anafu!' gwaeddodd Rhys eto, gan redeg ar y ffordd wag.

'DYN WEDI'I ANAFU!'

Sgrechiodd i ganol y nos ddistaw a gwag. Yna stopiodd weiddi. Sylweddolodd ei fod e yng nghanol unman. Roedd ei arhosfan mor bell oddi wrth help ag y gallai fod. Hwn oedd yr arhosfan ym mhen draw'r byd. Edrychodd e'n ôl ar Wdig a hwnnw'n gwaedu wrth orwedd yn yr arhosfan.

'Dyn wedi'i anafu,' ochneidiodd a rhedodd yn ôl i'r arhosfan i weld a allai wneud rhywbeth.

Ond roedd Wdig yn anymwybodol. Penliniodd Rhys wrth ei ochr a gwrando ar ei frest. Ni allai glywed curiad calon. Llenwodd ei lygaid â dagrau. 'Wdig,' meddai'n dawel, 'dere'n ôl!'

'Ga i helpu?'

Torrodd y llais cyfarwydd ar draws Rhys. Heb feddwl, dywedodd e: 'Na chewch.'

Yna trodd a gweld taw'r Wraig Wlanog yn y got frown oedd yno. Edrychodd Rhys o'i gwmpas yn syn, gan geisio deall sut roedd hi wedi cyrraedd yno.

'Clywais i ti'n galw,' meddai. 'Er, mae'n rhaid imi ddweud, dw i'n grac iawn gyda ti am ddihuno hen fenyw fel fi yng nghanol y nos.'

'Mae'n ddrwg gen i,' meddai Rhys. 'Ond mae fy ffrind wedi cael ei saethu.'

'Mae hynny'n amlwg,' meddai'r hen wraig, gan gydio yn y saeth â'i dwy law a thynnu mor galed ag y gallai. Crynodd y saeth wrth lithro allan. Ceisiodd Rhys daflu cip o dan ymyl ei het. Roedd e'n meddwl ei fod e wedi gweld wyneb, ond doedd e ddim yn glir iawn; roedd hi fel chwilio am lygoden yn y cwtsh dan stâr.

'Hmmm,' meddai'r Wraig Wlanog, gan graffu ar y saeth fetel fel petai hi newydd dynnu fforc frwnt allan

o beiriant golchi llestri. 'Mae gwaed gwyrdd gan dy ffrind.'

'Dw i'n gwbod,' meddai Rhys. 'Ydy hynny'n beth drwg?'

'Nac ydy,' atebodd yr hen fenyw, gan roi ei llaw i orffwys ar dalcen Wdig. 'Ond mae ganddo grŵp gwaed braidd yn anghyffredin, dyna i gyd. Grŵp gwaed gwyrdd – nawr mae hwnna'n *eitha* prin.'

'Fydd e'n iawn?' gofynnodd Rhys.

'Dyw gwella creaduriaid o'r oes o'r blaen, fel hwn, ddim yn beth hawdd i fi,' meddai'r hen wraig. 'Dw i ddim wedi dod ar draws ellyll ers amser maith iawn.'

'Beth yw ellyll?' gofynnodd Rhys.

Edrychodd y Wraig Wlanog ar Rhys cystal â dweud, 'Paid â bod mor dwp'.

'Mae'n ddrwg gen i,' meddai Rhys, gan edrych ar Wdig. 'Mae'n debyg taw *dyma* beth yw ellyll.'

Ochneidiodd Wdig a chrynu ar lawr yr arhosfan. Crynodd ei amrannau hefyd.

Cododd yr hen wraig ar ei thraed ac edrych o'i chwmpas. 'Mae 'na Sbanerwyr ym mhobman! Faint o'r gloch fydd y bws nesa'n cyrraedd?'

'Hanner awr wedi saith y bore, yr un i Aberystwyth,' atebodd Rhys. 'Bws cynta'r dydd.'

'Mae amser, felly,' meddai'r hen fenyw.

'I beth?' gofynnodd Rhys.

'Mae angen llenni arna i,' meddai, gan chwilota yn ei bag. Syllodd Rhys ar ddüwch y nos o'i gwmpas, gan wneud siâp y gair 'llenni' â'i geg. Sut yn y byd mawr y gallai hi feddwl am rywbeth mor ddibwys â llenni ar adeg fel hyn?

'Cer i aros y tu allan, wnei di?' meddai'r hen wraig, gan dynnu cynfasau gwyn o'i bag a'u glynu nhw wrth ochrau mewnol yr arhosfan â thâp selo.

'Mae'n rhaid iddo fe gael llawdriniaeth,' eglurodd hi. 'Dy waith di fydd cadw dy lygaid ar agor rhag ofn i rywun ddod. Bod dynol wyt ti – dwyt ti ddim yn cael gwbod dim byd am ellyllon. Dwyt ti ddim yn cael gwbod dim byd amdana i a ddylet ti ddim cael bod yn dyst i'r un o'm technegau arbennig. Os bydd y Sbanerwyr yn torri ar draws y llawdriniaeth ofalus, fydd dy ffrind bach ddim yn dod drwyddi.'

Wrth iddi siarad, daliodd y Wraig Wlanog i dynnu mwy a mwy o gynfasau o'i bag. Roedd hi fel dewin plant â hancesi, meddyliodd Rhys. Ond nid tric mo hyn. Roedd hi'n troi'r arhosfan yn rhyw fath o ysbyty.

'Fydd e'n iawn?' gofynnodd Rhys wrth iddo gamu allan i'r ffordd.

'Dw i ddim yn gwbod,' atebodd y Wraig Wlanog, gan dynnu pellen o wlân, canhwyllau a gweill o'i bag. 'Mae e wedi cael ei saethu yn ei galon â saeth rydlyd. Dyw e ddim yn dda. Ond mae ellyllon yn gryf ac mae'n eitha hawdd eu pwytho nhw. Efallai dy fod ti wedi sylwi'n barod – dyw dy ffrind ddim yn un cymhleth, nac ydy?'

Nodiodd Rhys. Hyd y gwelai, doedd dim byd cymhleth o gwbl ynghylch Wdig.

Daliodd yr hen wraig i ffwdanu gyda'r llenni, a oedd yn amgylchynu'r tu mewn i'r arhosfan erbyn hyn, a thynnodd y fflap ynghau.

Arhosodd Rhys wrth ochr y ffordd y tu allan i'r ysbyty. Gwyddai fod y Sbanerwyr yn ei wylio, ond roedd gormod o ofn arnyn nhw ddod yn rhy agos at yr arhosfan. Safodd e wrth y fynedfa a mentrodd ofyn unwaith i'r Wraig Wlanog sut roedd pethau'n mynd.

Hwpodd ei phen rownd y gornel; roedd hi wedi clymu cannwyll ar ei phen â sgarff. 'Bydd ddistaw, cadwa dy lygaid ar agor a phaid â gofyn cwestiynau twp,' meddai hi.

Ymddiheurodd Rhys. Poeni roedd e am Wdig. Safodd yn llonydd, gan warchod yr arhosfan a chwilio am Sbanerwyr. Gallai glywed y cloddiau'n tincian ac yn cloncian a'r coed yn griddfan fel llong yn tynnu ar angor, ond doedd y Sbanerwyr ddim yn ddigon dewr i fentro o'u cuddfannau.

Ymhen hir a hwyr, dyma'r Wraig Wlanog yn camu allan o'r ysbyty maes. 'Fe gei di ddod i mewn nawr!'

Aeth Rhys i mewn. Roedd yr ystafell yn fôr o oleuni gwyn yn disgleirio o'r canhwyllau ac yn cael ei daflu'n ôl oddi ar y llenni. Gorweddai Wdig ar y llawr. Gwisgai'r hen fenyw ŵn gwyn a mwgwd. Tynnodd ei menig rwber melyn oddi ar ei bysedd â chlec.

'Fe wnes i dy rybuddio di nad yw fy mhwerau mor

gryf ag y buon nhw,' meddai hi. 'Ychydig flynyddoedd yn ôl, gallwn i fod wedi'i wella trwy ddefnyddio swyn, ond erbyn hyn dim ond ychydig o hud a lledrith sydd gen i – digon i wneud popeth yn saff. Doeddwn i ddim yn gallu ffindio unrhyw waed ellyllon yn fy mag. Yn y diwedd defnyddiais i ysgytlaeth sbigoglys.'

'Diolch,' meddai Rhys.

'Mae e'n iawn,' meddai, gan dynnu ei bys yn ysgafn ar hyd y graith hir a rannai frest Wdig yn ei hanner. 'Bydd hyn i gyd yn pylu yn ystod y funud neu ddwy nesa. Erbyn y bore fydd e ddim hyd yn oed yn gwbod ei fod e wedi cael ei daro.' Eisteddodd yr hen wraig ar lawr yr arhosfan o dan eiriau'r graffiti: "Gwnewch fel y dywedwn neu fe fydd hi'n ddominô ar y ddafad."

Eisteddodd Rhys wrth ei hochr. 'Beth wyt ti'n wneud?' gofynnodd hi.

'Dw i'n aros i Wdig ddihuno,' atebodd Rhys.

'Cer di adre,' meddai hi. 'Fe ofala i na fydd y Sbanerwyr yn ei gipio. Ac wedyn mae'n wir raid imi ddal y bws 'na i Aberystwyth am hanner awr wedi saith.'

14 Y fargen

ROEDD Y diwrnod wedyn yn un go anodd i Rhys. Cwympodd i gysgu sawl gwaith yn yr ysgol. Cafodd yr enw 'Rhysi-boi Cysglyd' gan Griw Connor Collins, a gwnaeth pawb hwyl am ei ben.

Ond doedd dim tamaid o ots gan Rhys. Roedd pethau pwysicach o lawer ar ei feddwl. Roedd e wedi dod o hyd i ffordd o achub Dafi. Fe ofynnai i Wdig gloddio twnnel.

Pan gyrhaeddodd Rhys yr arhosfan ar ôl ysgol aeth e'n syth at y clawdd a galwodd ar Wdig.

Daeth Wdig i'r golwg, gan deimlo'n flin iawn drosto fe ei hun. 'Dyna beth *oedd* hen gynllun twp,' meddai, gan rwbio'r pwythau ar ei frest.

'Dim ots,' meddai Rhys, 'mae gen i well cynllun nawr. Fe wnawn ni gloddio Dafi allan.'

Nodiodd Wdig a thynnu ei law dros ei ên. Yna, rhaid ei fod e wedi clywed rhywbeth, achos plymiodd e'n ôl i ganol y clawdd. Trodd Rhys ar ei sawdl a gwelodd Anwen Beic yn sgidio i stop wrth yr arhosfan. Neidiodd hi oddi ar ei beic a gofynnodd i Rhys a oedd e wedi gweld Dafi. Roedd golwg ofnadwy arni, ac roedd ei llygaid yn gochlyd ar ôl bod yn crio. Dafi oedd ei hoff ddafad; roedd e'n arbennig. Cnôdd Rhys ei wefus wrth iddo gerdded yn ôl tuag at yr arhosfan. Sylweddolodd y byddai'n rhaid iddo ddweud wrth Anwen beth oedd wedi digwydd – y cwbl lot. Ni allai esgus nad oedd e'n gwybod bod Dafi'n cael ei holi gan y cowbois, Doc a'r Kid. Er hynny, doedd e ddim yn meddwl y byddai hi'n ei gredu.

'Anwen,' meddai Rhys.

'Beth?' gofynnodd hi. 'Wyt ti'n gwbod rhywbeth?'

Nodiodd Rhys. 'Fe alla i helpu,' meddai. 'Ond mae'n rhaid iti fy nghredu.'

'Pam na fyddwn i'n dy gredu?'

'Achos bod yr hyn dw i ar fin ei ddweud wrthot ti … wel, dyw e ddim yn mynd i swnio'n debygol iawn. A dweud y gwir, byddi di'n meddwl taw stori wneud yw hi. Ond dw i wedi dod o hyd i Dafi – dyna'r peth pwysig.'

Tyfodd gwên fawr o ryddhad ar draws wyneb Anwen. Gafaelodd hi yn Rhys a'i dynnu tuag ati. Yna dechreuodd hi ddawnsio o gwmpas yr arhosfan. 'Dere inni gael mynd. Gad inni fynd i'w nôl e.'

'Dyw e ddim mor hawdd â hynny. Darllen hwn,' meddai Rhys, gan bwyntio at yr ysgrifen ar amserlen y bysiau.

'Gwnewch fel y dywedwn,' meddai'r neges, 'neu fe

fydd hi'n ddominô ar y ddafad. Gyda dyledus barch, Doc a'r Kid.'

Darllenodd Anwen, ei llygaid gwyrddlas yn agor led y pen. 'Pwy yw Doc a'r Kid? Beth sy'n digwydd, Rhys? Ydy Dafi'n iawn?'

'Well iti eistedd,' meddai Rhys.

Eisteddon nhw gyda'i gilydd ar lawr yr arhosfan a dechreuodd Rhys ddweud popeth a wyddai wrth Anwen. Yn y diwedd roedd hi'n anodd peidio â dweud popeth. Soniodd e am ddyn bach gwyrdd o'r enw Wdig, am Doc Penfro a Kid Welly a sut roedd e ac Wdig wedi dod o hyd i Dafi mewn hen dwlc mochyn yn ymyl y dref. Soniodd e am y Garreg Las a'r ffaith bod yr isfyd cyfan fel petai'n ceisio dod o hyd iddi, a'u bod nhw i gyd yn meddwl ei fod e'n gwybod ble roedd hi. Dywedodd e wrthi fod pawb yn meddwl mai Unwaith Yn Y Pedwar Gwynt oedd e ac mai fe oedd yr un oedd wedi dwyn y garreg yn y lle cyntaf.

'Dw i'n mynd i nôl fy nhad,' meddai Anwen. 'Fe wnaiff e eu saethu nhw.'

Gafaelodd Rhys yn ei braich. 'Na!' gwaeddodd. 'Mae'n rhaid iti fy nghredu – dyna ddywedais i. Mae'r bobl hyn yn rhyfedd. Mae'n bosib y bydd dy dad yn tynnu nyth cacwn am ei ben. Galla i achub y ddafad ar fy mhen fy hun.'

Edrychodd Anwen ar Rhys. Ni allai yn ei byw weld beth roedd yntau'n mynd i allu ei wneud yn well na'i thad. 'Fe wnaiff fy nhad eu lladd nhw, dw i'n dweud wrthot ti,' meddai, gan neidio ar ei thraed.

'Mae'n rhaid iti fy nghredu,' ymbiliodd Rhys. 'Mae gwir angen iti wneud – fyddai gan dy dad, hyd yn oed â'i ddryll ffermwr, ddim gobaith caneri yn erbyn y rhain. Maen nhw o'n cwmpas ni ym mhobman. Maen nhw siŵr o fod yn ein gwylio ni yr eiliad hon. O ddifri, mae ganddyn nhw lawer mwy o allu saethu na beth sy gan dy dad. Mae'n rhaid iti fy nghredu.'

'Felly ble mae?' gofynnodd Anwen a hithau heb gredu'r un gair.

'Y garreg ynteu'r ddafad?' gofynnodd Rhys.

'Y garreg.'

'Dw i ddim yn gwbod,' gwaeddodd Rhys, gan neidio ar ei draed. Rhuthrodd e allan o'r arhosfan a gweiddi ar y frân. 'Dw i ddim yn gwbod ble mae. Sut ydw i fod i wbod?'

Trodd yr aderyn ei ben i ffwrdd, ac wrth i Anwen frysio allan i geisio tawelu Rhys, rhoddodd y frân ei holl sylw ar rywbeth a oedd yn cropian i fyny'r rhiw o gyfeiriad y dref. Y 245 i Dyddewi oedd e. Yn wahanol i'r arfer, stopiodd y bws wrth yr arhosfan. Neidiodd dau ddyn allan. Roedd un ohonyn nhw'n cario sach fawr ddu ar ei gefn.

Pwniodd Rhys Anwen yn ei hasennau. 'Cuddia! Nhw sydd yno!'

Rhedodd Anwen y tu ôl i'r arhosfan a gorweddodd ar y llawr.

'Wel shwmae, Rhysi-boi,' meddai Doc gan osod y sach ar y llawr. Daeth sŵn brefu ohoni.

Camodd Kid tuag at Rhys a'i lygadu'n fygythiol. 'Mae'r malu awyr drosodd,' meddai.

'Ydy e nawr?' atebodd Rhys.

Daliai Doc y tortsh a berthynai i dad Rhys. 'Gollaist ti rywbeth neithiwr?'

Cymerodd Rhys y tortsh oddi arno – roedd ei dad wedi glynu label arno yn dangos ei enw a'i gyfeiriad. Ni ddywedodd e ddim byd.

'Wyt ti'n gwbod beth sy gennyn ni yn y sach 'na?' gofynnodd Kid.

Gallai Rhys ddyfalu'n iawn beth oedd ynddi, felly nodiodd ei ben yn araf. Dywedodd e wrth Doc a Kid ei fod e ac Wdig wedi dod o hyd i'w cuddfan.

'Roedden ni'n amau hynny,' meddai Kid. 'Roedden ni'n gallu gwynto dy ffrind bach drewllyd sy mor hoff o gloddio ffosydd. Nawr, os wyt ti eisiau gweld y ddafad ddu 'ma eto, well iti ddweud wrthon ni ble mae'r garreg.'

Daeth bref arall o'r sach, fel petai Dafi'n rhybuddio Rhys i beidio â siarad.

Roedd Rhys ar fin dweud rhywbeth clyfar iawn pan … bam! Hyrddiodd Anwen ei hun am ben Doc o'r tu ôl i'r arhosfan. Saethodd hi allan, gan bwnio a chicio a rhegi. Syrthiodd Doc tuag yn ôl. Yna trodd hi a dechrau rhwygo'r sach, a dechreuodd Dafi gicio a brefu hefyd.

Siglodd Rhys ei ben. Roedd ymosodiad Anwen yn

ddewr iawn ond doedd e ddim yn mynd i lwyddo. Roedd Doc a Kid yn rhy fawr. Wrth i Rhys redeg i'w helpu, gafaelodd Kid ynddo a'i hoelio'n erbyn yr amserlen. Neidiodd Doc yn ôl ar ei draed a chydiodd yn Anwen, gan orchuddio ei cheg â'i law.

'Mae arna i awydd taflu'r tri ohonoch chi i'r môr,' meddai Doc. 'Nawr a wnewch chi ddangos inni ble mae'r garreg?'

Edrychodd Rhys ar yr olygfa o'i flaen: dafad ddu mewn sach ddu, Anwen yn ceisio cnoi llaw Doc, a Kid Welly, a oedd yn drewi o wisgi, yn gwasgu ei ysgwyddau fel feis. Doedd dim amdani. Nodiodd e'n araf, gan wthio dwylo Kid oddi arno'n daer. Agorodd llygaid Anwen yn fwy fyth. Doedd ganddi ddim syniad beth roedd Rhys yn mynd i'w wneud, ond roedd fel petai ganddo ryw fath o gynllun.

Roedd Wdig, a oedd yn cuddio yn y clawdd, yn gwylio'r cyfan ac yn mwmian dan ei wynt: 'Dyma gyfle gorau Wdig mewn mil o flynyddoedd. Wdig bydd ddistaw, Wdig paid â cholli dy ben, gwylia am y garreg.'

Dechreuodd Rhys symud yn araf oddi wrth yr arhosfan. Cerddodd tuag at y glwyd a phan gyrhaeddodd e glawdd cerrig y cae, tynnodd ei ddwylo'n araf dros y meini fel petai'n synhwyro'r pŵer. Yna, er mwyn dod ag ychydig o ddirgelwch i'r broses, dechreuodd e hymian alaw iddo'i hun. Dim ond nodau ar hap oedden nhw, ond gwnaeth Rhys iddyn nhw swnio fel rhyw fath o felltith hud a lledrith. Roedd ei galon yn curo; pe bai ei gêm fach yn methu roedd e'n siŵr y byddai'n ddominô arno fe, Dafi ac Anwen. Caeodd ei lygaid – roedd angen geiriau arno – geiriau a swniai'n hudol. Yna dechreuodd e farddoni:

> 'Garreg Las Hud,
> Ble yn y byd
> Wyt ti erbyn hyn?
> Ar gae … ymmm … ar fryn?'

Oedodd Rhys am eiliad, gan chwifio ei ddwylo o'i gwmpas. Doedd barddoniaeth erioed wedi dod yn hawdd iddo. Roedd ganddo fwy o ddiddordeb mewn ceir a bysiau, ond doedd pethau fel 'na ddim yn perthyn mewn cerdd fel hon; roedden nhw'n rhy fodern.

Edrychodd Kid Welly a Doc Penfro ar ei gilydd – eu tro nhw oedd e nawr i amau Rhys, i ofyn tybed a oedd e'n llunio'r cyfan yn y fan a'r lle er mwyn eu twyllo.

Gwyddai Anwen Beic taw dyna roedden nhw'n ei feddwl. Roedd hi eisiau gweiddi nerth ei llais er mwyn helpu Rhys. Roedd 'llyn' yn air da – roedd e'n odli â 'bryn' ac roedd rhywbeth hudol yn perthyn iddo am fod 'na chwedlau am lynnoedd a phethau felly.

'Ar gae, ar fryn?' meddai Rhys eto ac yna'n uwch: 'Ar gae, ar fryn?'

Stopiodd yn stond. Crynodd ei ddwylo uwchben carreg anferth tua'r un maint â dwy ddafad a honno wedi'i chladdu yng nghlawdd cerrig y cae. 'Ar gae, ar gae!' galwodd e, gan bwyntio at y garreg fawr.

Ochneidiodd Anwen ei rhyddhad – roedd Rhys yn seren, yn ddewin!

'Dyma hi,' meddai Rhys a phwyntio eto at y garreg.

Edrychodd Doc a'r Kid ar ei gilydd. Hopiodd y frân i lawr oddi ar do'r arhosfan er mwyn cael gwell golwg, a daeth hyd yn oed Wdig allan o'i guddfan.

Plygodd Kid o flaen y garreg a'i gwynto â'i drwyn mawr tew, ei fwstásh yn cusanu wyneb y graig.

'Does dim gwynt hudol arni,' meddai. 'Dyw hi ddim yn edrych yn arbennig o las chwaith.'

'Petai'r garreg yn las llachar, amlwg fyddai dim angen i rywun fel fi eich helpu i ddod o hyd iddi, na fyddai?' meddai Rhys yn ddiamynedd a mynd ati i agor y sach. Gwthiodd Dafi ei ben allan ac, am eiliad, gallai Anwen daeru bod y ddafad wedi wincio ar Rhys â'i llygaid rhyfedd a bwyntiai tua'r ochr. Taflodd Anwen ei breichiau am wddf Dafi.

'Dyw hi ddim yn teimlo mor hudol i fi,' meddai Doc, gan rwbio'r garreg.

'Beth ydych chi'n ei ddisgwyl?' gofynnodd Rhys. 'Cwningod a hetiau silc? Wir ichi, dyna'ch carreg, fel dywedodd y fenyw – mae fan hyn wrth yr arhosfan yma. Dyna pam dw i yma. Dw *inne* yma am ei bod *hithe* yma; dw i yma i ofalu amdani.'

Gollyngodd Doc ei afael ar Anwen, tynnodd e'r ddafad ddu allan o'r sach a bu bron iddo ei thaflu dros y glwyd. Rhedodd Anwen at Dafi. Stampiodd hwnnw'r llawr â'i draed ac ysgwyd ei gorff, gan geisio adfer ei urddas. Ymhen ychydig, cerddodd e at y glwyd a dechrau gwneud beth ddaeth yn naturiol iddo – edrych i lawr ei drwyn hir ar bobl. Rhoddodd Anwen gwtsh mawr iddo.

Archwiliodd Doc a Kid y garreg ym môn y clawdd. Roedd Rhys wedi dewis un fawr; penderfynon nhw y byddai angen rhawiau er mwyn ei chloddio o'r ddaear a rhuthrodd y ddau oddi yno i chwilio am rai yn y dref.

Gwylio ac aros wnaeth Wdig wrth i'r haul fachlud y tu ôl i'r Bryniau Corslyd. Yn y diwedd, cerddodd Rhys ac Anwen i ffwrdd ar hyd y Lôn Droellog. Cwynodd Rhys am ei fod e'n gorfod ymarfer darllen gyda'i dad. Siaradodd Anwen yn ddi-baid am Dafi, y cowbois a'i defaid eraill. Dywedodd hi y byddai'n sôn wrth ei thad am Doc a'r Kid ac y byddai hwnnw'n dod ar eu holau gyda'i ddryll i'w saethu am ddwyn defaid. Pan ofynnodd hi ymhen hir a hwyr am y Garreg Las a sut roedd Rhys yn gwybod ble roedd hi, fe gyfaddefodd e. Dywedodd wrth Anwen ei fod e wedi dewis y garreg fwyaf oedd yn y cae. Nid ei fai e oedd e os oedd pawb yn meddwl bod pwerau hudol ganddo. Yr unig beth pendant a allai ei ddweud am y garreg a ddewisodd oedd mai un fawr oedd hi – un fawr iawn.

Wrth iddi nosi, pefriodd y sêr uwchben yr arhosfan. Eisteddodd y frân ar ben y to, gan wylio'r ffordd yng ngolau'r lleuad. Bob hyn a hyn byddai car yn mynd heibio ar wib. Ymhen amser, daeth dau ddyn i'r golwg. Roedd Doc a'r Kid wedi cael gafael ar rawiau. Wrth iddyn nhw ddod yn nes, tinciai llafnau'r rhawiau ar y tarmac. Roedden nhw'n siarad. Gwrandawodd y frân.

'Wel, am noson braf i wneud ychydig o gloddio,' meddai Doc wrth iddo gyrraedd y garreg. 'Cloddio o ddifri.'

'Awn ni â'r garreg ac yna daliwn ni'r bws cynta o 'ma,' meddai Kid. 'Mae gormod o fwganod ar hyd y lle. Wedyn byddwn ni'n saff.'

'Pa mor bell mae'n rhaid inni fynd er mwyn bod yn saff?' gofynnodd Doc, gan wthio'i raw i mewn i'r ddaear.

'Yn bell,' atebodd Kid Welly. 'Efallai mor bell ag Abertawe.'

'Gwych! Dw i'n hoffi'r cynllun – cadw ein pennau i lawr, cadw'n dawel ac yna'n araf bach gallwn ni ddefnyddio'r garreg. Ddaw'r Brenin byth o hyd inni yn Abertawe,' meddai Doc.

Dechreuodd Kid gloddio'n gyflym, ei raw yn atseinio yn erbyn ochr y garreg. 'Un peth arall,' meddai. 'Sut mae defnyddio'r garreg yma? Sut mae ei throi hi ymlaen?'

Edrychodd Doc ar Kid fel petai e'n dwpsyn llwyr. 'Mae'n bum mil o flynyddoedd oed; does dim switsh arni! Bydd ffordd o wneud, fe gei di weld – rhyw swyn, rhyw hud – fe glywaist ti'r bachgen yn mynd trwy ei bethau. Efallai bydd rhaid inni ei thwymo hi … ffindiwn ni ffordd. Y peth cynta mae'n rhaid inni ei wneud yw ei symud hi o fan hyn.'

Buon nhw wrthi'n cloddio am oriau. O'i guddfan yn y clawdd gwyliodd Wdig y ddau ohonyn nhw â gwên fawr ar ei wyneb. Roedd e eisoes wedi mynd i edrych dan y ddaear – roedd y garreg fel dant; aeth ei gwreiddiau'n ddwfn i'r pridd a dim ond ei blaen oedd yn torri trwy'r wyneb. Doedd dim gobaith i Doc a Kid gyrraedd ei gwaelod hi a doedd dim gobaith caneri y bydden nhw'n gallu ei chario oddi yno. Gwyliodd y frân. Bob hyn a hyn, byddai'r ddau ddyn yn stopio cloddio, gan sychu eu talcenni a chwythu anadl boeth i'r awyr oer a llaith o liw arian. Gwyliodd Dafi hefyd, ei lygaid melyn yn disgleirio fel tanau yng nghanol düwch ei gorff.

'Mae'n waith caled … rhy galed,' cyfaddefodd Kid, gan bwyso ar ei raw. 'Mae'r garreg yma mor fawr â thŷ. Bydd rhaid inni ddod nôl gyda pheiriant cloddio.'

Roedd Doc eisiau bwrw ymlaen â'r dasg, ond gallai weld o faint y twll roedden nhw eisoes wedi'i agor fod y garreg yn rhy fawr i'w thynnu allan ac yn rhy fawr i'w chario. Gwthiodd ei het yn ôl ar ei ben a chododd ei lygaid i'r awyr serennog. Pefriodd y dafnau o chwys ar ei dalcen yng ngolau'r sêr. Edrychodd ar Kid a hwnnw'n gwichian dros ei raw ac yn brwydro i gael ei wynt ato. Roedd e'n dal i gloddio mor galed ag y gallai. 'Paid, rho'r gorau iddi,' ochneidiodd. 'Mae angen offer mecanyddol arnon ni i ddod i ben â hyn.'

Daliodd Kid i gloddio. Roedd y syniad y gallai fynd â'r garreg oddi yno wedi troi'n obsesiwn iddo. Ond dododd Doc ei law ar gefn Kid a dywedodd wrtho am roi ei raw i lawr. Dywedodd ei fod e'n deall pa mor bwysig oedd hi i gael y garreg, i sicrhau eu diogelwch wrth i bwerau'r fall ymledu o dipyn i beth ar draws y byd. Ond y gwir amdani oedd bod y garreg yn rhy fawr.

Cerddodd Kid a Doc yn ôl i'r dref yn anfodlon eu byd. Cytunon nhw y bydden nhw'n dychwelyd gyda chodiad yr haul ag offer mecanyddol.

Wrth iddyn nhw ddiflannu ar hyd y ffordd ac o'r golwg, dechreuodd rhywbeth rhyfedd ddigwydd. Er mor anferth oedd hi, dyma'r garreg yn dechrau crynu.

15 Y wrach

RHUTHRODD RHYS i lawr i'r arhosfan yn gynnar fore
trannoeth, gan gnoi ar ei losin coch lwcus a'i lyncu'n
gyflym. Er ei bod yn gynnar, roedd e wedi dod ar
draws ei dad yn y gegin, yn yfed coffi ac yn edrych
allan dros y caeau gwlithog wrth i'r haul godi. Ni allai
Rhys benderfynu a oedd Siôn wedi bod ar ei draed
drwy'r nos ynteu a oedd e'n digwydd gwisgo'r un
dillad ag y bu'n eu gwisgo'r diwrnod cynt. Dywedodd
Siôn fod Rhys yn dod yn ei flaen yn dda gyda'i ddarllen
ac eisteddodd y ddau gyda'i gilydd a darllen stori ym
mhapur newydd ddoe am reolwr pêl-droed a oedd
yn cael y sac. Canolbwyntiodd Rhys mor galed ag y
gallai a darllenodd mor gyflym â phosib achos roedd
e wir eisiau mynd i'r arhosfan. Sylweddolodd e, wrth
iddo ddweud rhai o'r geiriau llai, ei fod e'n dechrau
darllen bron mor gyflym â'i dad. Bob tro y byddai'n
maeddu Siôn, byddai hwnnw'n chwerthin yn uchel,
gan ddweud pethau fel: 'Go dda, Rhys!' Ar ôl iddyn
nhw orffen y stori, dywedodd Siôn wrth Rhys ei fod e'n

fachgen da a bod ei ddarllen yn gwella, yna rhoddodd e'r losin coch iddo.

Rhedodd Rhys ar hyd y Lôn Droellog ac anelu'n syth am yr arhosfan. Roedd ganddo deimlad y byddai rhywbeth pwysig yno, ond pan gyrhaeddodd e doedd dim byd, neu efallai … llai na dim byd; achos, er bod yr arhosfan yn wag, roedd twll anferth wrth ei ochr yn y ddaear lle roedd y garreg yn arfer sefyll. Cerddodd Rhys at y twll – roedd yn ddigon mawr i ddyn tal sefyll ynddo heb gael ei weld. Tybiodd fod Doc a Kid wedi llwyddo rywsut i godi'r garreg a'i rholio i lawr y rhiw. Ond yn rhyfedd ddigon, pan chwiliodd e am olion, doedd dim byd.

'Bydd angen decpunt arall arnat ti cyn bo hir,' meddai llais esmwyth heb fod ymhell o glust Rhys.

Y tu ôl iddo safai dau berson cyfarwydd – y fenyw dal, denau a'r ferch fyr, dew.

'Ar gyfer yr ysgol,' gwenodd yr un hŷn, denau.

Roedd Rhys bron ag anghofio bob dim am yr ysgol.

Gwisgai'r fenyw dal, denau ddillad du ac roedd fêl o niwl y bore wedi'i lapio amdani, fel petai hi wedi cerdded allan o'r wawr. Daliodd hi bapur decpunt yn ei llaw denau a'i gynnig i Rhys. Roedd ei chroen yn sych – yn union fel y papur decpunt.

Ni chymerodd Rhys yr arian, er bod chwant arno wneud.

'Jest dwed wrtha i ble mae'r garreg *go iawn*,' meddai'r dieithryn a gwenu.

Cerddodd Dafi at y glwyd a gwylio, gan ysgwyd ei ben fymryn.

'Honno *oedd* y garreg go iawn,' meddai Rhys yn wan.

'Dim carreg, dim arian,' meddai'r wraig, gan roi'r decpunt i'r un iau. Gwenodd honno a gwthio'r arian i mewn i bwrs du, gan ei frathu ynghau â 'chlic' ffyrnig.

'Meddylia amdano, Rhys, pan fyddi di yn yr ysgol heddiw. Mae angen decpunt arnat ti. Does dim arian gan dy dad felly dyw e ddim yn gallu dy helpu, ac mae'r bechgyn 'na – beth yw eu henwau?'

'Criw Connor Collins,' mwmiodd Rhys. 'Penbwl, Delaney a fe, Collins.'

'Yn hollol. Mae'r bechgyn 'na yn disgwyl cael eu talu. Ac wrth gwrs, mae 'na un peth arall iti feddwl amdano.'

'Beth?' gofynnodd Rhys o'i anfodd.

'Os na chymeri di'r arian a mynd â fi at y Garreg Las, galla i wneud yn siŵr dy fod ti'n cael dy losgi'n fyw.'

Cymerodd Rhys gam tuag yn ôl. Doedd y ferch a ofalai am y pwrs ddim llawer yn hŷn nag e, ond pan glywodd hi hyn gwenodd o glust i glust, gan ddangos dant aur ym mlaen ei cheg. Roedd yn amlwg i Rhys ei bod hi'n hoffi'r syniad o'i losgi'n fyw.

'Chewch chi ddim gwneud hynny,' meddai Rhys. 'Ddim fan hyn, ddim wrth fy arhosfan i. Mae'n erbyn y gyfraith – bydden nhw'n eich arestio chi.'

'Bydden, taswn i ddim mor bwerus. Ond dw i'n

gallu teithio mewn amser a gofod, dw i'n gallu galw ar fyddin o ysbrydion o'r isfyd ...'

'Y Sbanerwyr?' gofynnodd Rhys.

'Paid â thorri ar fy nhraws, grwt – dw i erioed wedi clywed amdanyn nhw. Siarad ydw i am ellyllon, coblynnod, ysbrydion ac wrth gwrs, y ddraig ... *fy nraig.*'

Chwarddodd Rhys. Hen fenyw hanner call a dwl oedd hon, meddyliodd. Cerddodd hi o gwmpas yr arhosfan, ei hesgidiau bach du, tyn yn crafu'n erbyn y llawr fel cyllyll. Sylwodd Rhys ar y frân yn hedfan i ffwrdd a fflapio tuag at goeden yn y pellter.

'Bydda i'n aros amdanat ti,' meddai'r fenyw denau, od. 'Yn y cyfamser, weli di'r goeden draw fan 'na lle mae'r frân wedi mynd i guddio?'

Nodiodd Rhys. Eisteddai'r frân mewn castanwydden, ei dail ar led fel dwylo mawr gwyrdd yng ngoleuni'r bore.

'Edrych.'

Prin y gallai Rhys gredu ei lygaid. Cafodd ei fwrw'n ôl gan yr hyn a welodd, bron fel petai rhywun wedi'i ddyrnu yn ei wyneb. Ffrwydrodd y goeden. Neu efallai mai mynd ar dân wnaeth hi a llosgi'n ulw yn gyflym iawn. Un funud roedd hi'n sefyll yno, yn dawel ac yn wyrdd i gyd, y concyrs yn barod i gwympo; y funud nesaf roedd hi'n wenfflam; ac yna, ar amrantiad, dim ond coesyn trwchus, du oedd ar ôl, a mwg yn codi ohono.

'Gwaith da, Beth,' meddai'r fenyw.

Daeth y bws i stop o flaen yr arhosfan. Roedd Rhys wedi anghofio'n llwyr fod angen iddo ddal ei law allan. Neidiodd ar ei fwrdd a rhuthrodd i eistedd mewn sedd.

'Popeth yn iawn?' gofynnodd Gloria.

Ni allai Rhys siarad, ac wrth i'r bws ailgychwyn sylwodd e ar beiriant cloddio mawr melyn yn dod i fyny'r rhiw. Doc Penfro oedd yn gyrru ac eisteddai Kid Welly yn y rhaw fawr.

Edrychodd Gloria ar Rhys. Crwydrodd ei llygaid oddi ar y ffordd ac at ei drychau am eiliad fach. Sylwodd Rhys arni. Teimlodd hi'r angen i ddweud rhywbeth. 'Yr hen fenyw 'na mewn dillad du a'r ferch dew, fyr ...'

'Ie?' meddai Rhys, gan edrych ar Gloria.

Cochodd Gloria at ei chlustiau, fel petai'n dweud rhywbeth na ddylai hi. 'Dw i ddim yn un sy'n clebran,' meddai.

'Dw i'n gwbod,' meddai Rhys, 'na finne.'

'Ond ... wyt ti'n gwbod pwy oedd y ddwy 'na?'

'Nac ydw,' meddai Rhys.

'Ddylwn i ddim dweud rhagor,' meddai Gloria. Yna ychwanegodd: 'Ond fe wna i.'

Wrth iddyn nhw yrru i'r ysgol, soniodd Gloria wrth Rhys am Mrs Prydderch a Rhiannon, ei hwyres gas. Dywedodd Gloria eu bod nhw'n adnabyddus o gwmpas y dref am fod yn "rhyfedd". Dywedodd wrth Rhys y dylai gadw draw oddi wrthyn nhw am fod pobl yn meddwl eu bod nhw'n ymhél â dewiniaeth ddu.

Dywedodd eu bod nhw'n melltithio pobl a bod pethau drwg yn digwydd iddyn nhw wedyn. Aeth Gloria yn ei blaen i ddweud bod Mrs Prydderch wedi melltithio un o'r bysiau roedd hi'n ei yrru un tro, a bron cyn gynted ag roedd hi wedi camu oddi ar y bws (heb dalu), roedd pob un o'r pedwar teiar wedi ffrwydro.

16 Diwrnod mawr

YN YR ysgol, aeth Rhys i weld Miss Caradog er mwyn darllen iddi. Dywedodd hi ei fod e'n gwneud yn "dda iawn", er y gwyddai Rhys nad oedd e'n gwneud yn dda iawn o gwbl; y cyfan oedd ar ei feddwl oedd coed yn ffrwydro, cerrig yn diflannu a theimlad rhyfedd bod popeth yn ei fyd – ei gartref, y bysiau, yr ysgol, popeth – yn dechrau cwympo'n ddarnau. Doedd dim synnwyr i ddim byd. Daeth e ar draws criw Connor Collins a dywedon nhw ei bod hi'n bryd iddyn nhw gael eu tâl nesaf.

Ar ddiwedd y dydd, pan gamodd Rhys oddi ar y bws a sefyll ar y tarmac, gobeithiai fod popeth wedi mynd yn ôl i'w hen drefn. Ond pan edrychodd e ar y frân, a oedd yn eistedd unwaith eto ar ben to'r arhosfan, gallai weld nad oedd pethau'n iawn. Roedd plu'r aderyn wedi cael eu llosgi ac roedd darnau bach moel ar ei adenydd. Roedd yn amlwg mai o drwch blewyn yn unig roedd e wedi llwyddo i hedfan i ffwrdd oddi wrth y goeden cyn i'r ddraig ei llosgi'n ulw.

Cerddodd Rhys at y glwyd. Yno roedd Dafi yn cnoi ei wair. Prin ei fod e wedi sylwi ar Rhys. Yn sydyn, daeth sŵn o rywle.

'Pssst.'

Edrychodd Rhys o'i gwmpas. Ni allai weld neb – dim gwrachod, dim cantorion canu gwlad. Yna edrychodd tua'r llawr a gweld dau lygad yn syllu arno o'r ddaear, un glas ac un du. Wdig oedd yno. Siglodd hwnnw ei gorff fymryn a'r eiliad nesaf safai ar ei draed ar y llawr. Dawnsiodd o gwmpas ar y ffordd o flaen Rhys. 'Dyfal donc a dyr y garreg,' meddai a chwerthin. 'Ond dw i ddim wedi *torri'r* garreg … mae hi gen i'n saff.'

'Beth?' gwaeddodd Rhys.

'Mae Wdig yn gallu cloddio. Dyma fe'n aros i'r cowbois flino gyda'u hen rawiau twp. Yna, pan maen nhw'n mynd, dyma Wdig yn tynnu'r garreg lawr i'r ddaear. Mae'r garreg ganddo fe nawr. Does neb yn gallu brifo Wdig achos bod y garreg hudol ganddo fe. Mae'n blincin anferth. Yr un maint â bws!'

'Ble rwyt ti'n ei chuddio hi?' gofynnodd Rhys.

'Dan y ddaear,' meddai Wdig, gan wincio ei lygad mawr glas yn gyfrwys.

'Ac rwyt ti'n meddwl dy fod ti'n saff, felly,' meddai Rhys, 'pan ddaw'r Brenin a lledaenu tywyllwch dros y byd i gyd, pan dynnith e bopeth yn ddarnau, pob dim byw. Rwyt ti'n meddwl dy fod ti'n saff achos bod y garreg 'na gen ti? Sut elli di guddio carreg dan y ddaear?'

'Mae'n hawdd i Wdig,' gwaeddodd e wrth iddo chwerthin a dawnsio. 'Mae Wdig wrth ei fodd dan y ddaear.' Rhwbiodd ei ddwylo gwyrdd yn ei gilydd a daliodd ei ochrau wrth iddo glegar chwerthin am ben Doc Penfro a Kid Welly yn ceisio defnyddio offer mecanyddol i ddod o hyd i'r garreg.

'Doniol, paid â sôn!' meddai Wdig. 'Pan ddaeth y ddau gowboi 'na gyda'u peiriant cloddio a gweld bod y garreg, oedd yr un maint â bws, wedi diflannu i'r awyr, dyma nhw'n crafu eu pennau mewn syndod. Roedden nhw'n methu deall. Dechreuon nhw regi ac ymladd fel ci a chath. Roedden nhw'n meddwl taw bai'r Brenin oedd e a dyfodiad tywyllwch i'r byd. Ond mae Wdig yn gwbod fel arall. Mae Wdig yn hen law ar gloddio tyllau, a dyna sydd wedi symud y garreg o'r man lle roedd hi.'

Ochneidiodd Rhys. Gwyddai nad oedd dim byd anghyffredin am y garreg heblaw am ei maint. Edrychodd e draw tua'r môr wrth i gymylau fel dreigiau hwylio ar draws yr awyr las. Yn sydyn, stopiodd Wdig ddawnsio a rhewodd. Roedd e wedi clywed rhywbeth. Wrth i Anwen Beic hyrddio tuag atyn nhw, sleifiodd Wdig yn ôl i mewn i'r ddaear.

'Aros,' gwaeddodd Rhys, ond roedd Wdig wedi mynd.

'Rhys, beth sy'n digwydd?' gwaeddodd Anwen. 'Fe welais i'r bechgyn 'na yn yr ysgol heddiw. Beth oedden nhw eisiau?'

'Dim byd o bwys,' meddai Rhys yn gelwyddog.

'Ydyn nhw'n dy fwlio di?' gofynnodd hi. 'Achos os ydyn nhw, fe wneith Dad eu saethu *nhw* hefyd yn ogystal â'r lladron defaid! Mae hwyliau drwg arno fe ar y funud.'

'Gwranda, Anwen,' meddai Rhys, 'mae'n rhaid i fi ddweud rhywbeth wrthot ti.'

Soniodd Rhys wrth Anwen am y wrach, y ddraig, am Wdig a'r garreg hudol. Gwrandawodd Anwen yn ofalus; roedd hi wedi gweld digon i wybod bod rhywbeth anarferol yn digwydd achos bod y dref yn llawn dieithriaid. Eto i gyd, roedd hi'n dal i gredu bod rhyw fath o gysylltiad rhwng hynny a dwyn defaid. Roedd ei thad hefyd yn meddwl bod y dref yn llenwi â lladron defaid. Ceisiodd Rhys esbonio ei fod yn fwy o beth na hynny. Ceisiodd esbonio mai'r unig beth yr oedd ar bawb ei eisiau oedd y garreg hudol.

'Wel,' meddai Anwen ar ôl gwrando ar stori Rhys, 'well iti ei ffindio hi.'

Chwarddodd Rhys. 'Sut dw i fod i wneud hynny? Dw i ddim hyd yn oed yn gallu darllen. Dw i ddim yn nabod neb rownd ffordd hyn, ac rwyt ti'n iawn, pan dw i'n mynd i'r ysgol mae pawb yn chwerthin am fy mhen, maen nhw'n rhoi crasfa i fi ac yn dwyn fy arian. Un arbennig ydw i, siŵr iawn. Arbennig o anobeithiol. Dw i'n arbennig o dda am wneud pethau'n anghywir.'

Fflachiodd llygaid Anwen gan ddicter. Trawodd hi Rhys yn galed iawn ar ei wyneb. Cafodd Rhys ei frifo. 'Paid â bod mor dwp,' sgrechiodd hi. 'Nid *ti* sy'n anobeithiol ond *nhw* – pob un ohonyn nhw! Beth sy'n dy wneud ti'n anobeithiol yw dy fod ti'n eu credu nhw. Wyt ti'n gwbod beth dw i'n feddwl? Dw i'n meddwl dy fod ti wedi creu hanner y storïau 'ma fel nad oes rhaid iti ddelio â'r pethau sy'n wirioneddol bwysig.'

Teimlodd Rhys ei wyneb. Trodd yn goch, yn rhannol lle roedd Anwen wedi'i daro, ac yn rhannol lle nad oedd hi wedi'i daro. Ni wyddai beth i'w ddweud. Roedd e eisiau crio.

'Mae'n ddrwg gen i,' meddai Anwen.

'Mae'n iawn,' meddai Rhys. 'Roeddwn i'n ei haeddu fe.'

Ochneidiodd Anwen. 'Doeddet ti *ddim* yn ei haeddu fe – y lleill yw'r rhai sy'n haeddu cael crasfa. Cer i roi hemad i griw Connor Collins!' gwaeddodd hi.

Wrth i Rhys wrando ar Anwen, gan feddwl yn dawel fach pa mor dda mewn egwyddor oedd y syniad o herio criw Connor Collins, ond pa mor ddrwg fyddai hynny mewn gwirionedd, sylwodd e fod ei hwyneb yn newid. Eiliad yn ôl, roedd yn llawn dicter ond nawr roedd yn llawn ofn. Cododd Anwen ei llaw a phwyntio at ddau siâp yn cerdded i fyny'r rhiw – Doc Penfro a Kid Welly. Roedd golwg gandryll ar wynebau'r ddau. Cydiodd Rhys yn Anwen a'i thynnu allan o'r arhosfan. Roedd y ddau ddyn yn rhedeg yn syth atyn nhw erbyn hyn. Doedd dim amdani. Rhuthrodd Rhys ac Anwen allan o'r arhosfan a dechrau rhedeg nerth eu traed i fyny'r Rhiw Gyntaf. Rhedodd Doc a'r Kid ar eu hôl, gan weiddi rhywbeth am y garreg a oedd ar goll a sut y bydden nhw'n curo Rhys nes ei fod e'n dweud wrthyn nhw ble yn union roedd y garreg hudol.

Wrth iddyn nhw redeg, trodd Anwen at Rhys a gweiddi: 'Ti'n gwbod, Rhys, y peth cynta mae'n rhaid iti ei wneud yw dod o hyd i'r garreg 'na!'

'A beth yw'r ail?' gofynnodd Rhys, a'i wynt yn ei ddwrn wrth i'w draed guro'r ffordd.

'Cael gwared â hi!' bloeddiodd Anwen. 'Cuddia hi unwaith ac am byth fel na ddaw neb ar dy ôl di eto.'

Daeth bws i'r golwg ar ben y rhiw – y 479 i Aberteifi. Gallai Rhys glywed Doc a Kid yn pwffian y tu ôl iddyn nhw. Roedden nhw'n cau'r bwlch. Wrth iddo redeg, ceisiodd Rhys feddwl beth fyddai ei dad wedi'i wneud i ddod â'r helynt i ben – rhywbeth arbennig, rhywbeth anghyffredin, rhywbeth dewr. Yn sydyn, cafodd Rhys syniad. Gwyddai beth i'w wneud – Unwaith Yn Y Pedwar Gwynt oedd e, wedi'r cwbl. Rhedodd yn sydyn i ganol y ffordd a sefyll o flaen y bws a oedd yn prysur agosáu. Rhoddodd Anwen ei llaw dros ei llygaid; meddyliodd hi fod Rhys yn siŵr o gael ei lorio gan y bws Volvo. Stopiodd hyd yn oed Doc a Kid a gwylio, wedi'u dychryn, wrth i'r gyrrwr wasgu'n galed ar y breciau, gan wneud i'r olwynion gloi a sgrechian ac i'r teiars Firestone mawr chwydu cymylau o fwg trwchus i'r awyr. Un da oedd y gyrrwr. Mr Dickinson oedd e. Gwyddai Rhys y byddai ganddo freciau gwych ar ei gerbyd. Llwyddodd Mr Dickinson i ddod â'r bws glas golau i stop fodfeddi o flaen Rhys. Rhedodd Rhys at ochr y bws, gan chwifio'i freichiau wrth i Mr Dickinson agor y drysau'n ddigon hir i Anwen a Rhys neidio ar ei fwrdd. Yna cychwynnodd y bws a chaeodd y drysau'n dynn wrth iddyn ddechrau gyrru i lawr y rhiw a heibio i'r cowbois. Gwenodd Anwen a chwifio wrth i Doc a Kid godi eu dyrnau ar y ffenestri.

'Ffrindiau i chi?' gofynnodd Mr Dickinson, gan edrych i lawr ar Doc a Kid.

'Ddim yn hollol,' meddai Rhys, gan fynd i eistedd wrth ochr Anwen yng nghanol y bws.

Trodd y fenyw a eisteddai yn y rhes o'u blaenau a gwthio'i phen dros gefn y sedd – roedd Anwen yn disgwyl iddi ofyn iddyn nhw fod yn dawel. Ond nid rhyw hen fenyw gyffredin oedd hon. Gwnaeth Rhys ei hadnabod ar unwaith – y croen crych hwnnw fel papur decpunt, ac wrth ei hochr, y ferch honno â'r wyneb llwyd, llygaid oeliog a dant aur ym mlaen ei cheg. Cododd pennau'r ddwy fel dau falŵn.

'Dw i'n credu ein bod ni wedi mynd yn ddigon pell,' meddai Mrs Prydderch. 'Gadewch inni stopio wrth yr arhosfan yma.'

'Peidiwch â chreu trafferth i ni,' ychwanegodd Rhiannon.

Roedd Anwen ar fin dechrau dadlau â nhw pan bwniodd Rhys ei hochr â'i benelin. Roedd e wedi gweld y goeden yn ffrwydro, felly gwyddai pa mor bwerus oedd Mrs Prydderch. Gwrach o'r hen deip oedd hi, a fiw ichi ddadlau â'r rheini. Nodiodd Mrs Prydderch ar Mr Dickinson ac arafodd e'r bws wrth yr arhosfan. Cyn gadael, diolchodd Rhys i Mr Dickinson am stopio'r bws, ac eglurodd taw mam-gu Anwen oedd yr hen fenyw a'u bod nhw'n ymweld â'i rhieni ar y fferm. Nodiodd Mr Dickinson a gwenu. Roedd e'n hoffi Rhys, ond doedd ganddo ddim syniad beth oedd ar waith gydag e, ac yn ei ddrychau ochr gallai weld Doc a'r Kid yn taranu yn ôl i lawr y rhiw. Heb ofyn unrhyw gwestiynau, rhoddodd Mr Dickinson ei fws yn y gêr gyntaf a symudodd y cerbyd oddi wrth yr arhosfan i rywle mwy diogel.

Poerodd Mrs Prydderch ar y llawr yn ymyl y bws. Cododd pluen fach o fwg o'r man lle trawodd ei phoer y tarmac, gan hisian. Pwyntiodd hi tuag at yr arhosfan, a chamodd pawb i mewn yn araf. Gallai Rhys weld Doc a Kid yn loncian, yn fyr eu gwynt, yn ôl ar hyd y ffordd. Yn y diwedd, cwympodd Doc, a'r Kid yn dynn wrth ei sodlau, i mewn i'r arhosfan, gan anadlu'n drwm.

'Y diawl bach hyll!' meddai Kid yn fygythiol. 'Ble mae'r garreg gen ti? Ble mae?'

Edrychodd Rhys ar Doc a Kid yn plygu yn eu blaenau wrth frwydro i gael eu gwynt. Roedden nhw o ddifrif yn credu ei fod e wedi symud y garreg – y garreg oedd yr un maint â bws!

Rhythodd Mrs Prydderch a Rhiannon ar Rhys. Roedden nhw'n grac. Roedd e'n siŵr eu bod nhw'n credu'r un peth â'r ddau arall.

Edrychodd Anwen arno hefyd, ond gwyddai na allai Rhys fod wedi symud y garreg.

Ond roedd meddwl Rhys yn chwim. Yn lle dweud wrthyn nhw beth ddigwyddodd go iawn, dyma fe'n penderfynu cymryd arno. Wedi'r cyfan, y rheswm pam roedd gan y wrach, y cowbois, y frân a'r Brenin ei hun ddiddordeb ynddo oedd am eu bod nhw'n meddwl bod ganddo fe bwerau arbennig. Doedd esgus bod ganddo bwerau arbennig ddim mor anodd felly.

'Tric da oedd hwnna gyda'r ddraig y bore 'ma, Mrs Prydderch,' meddai Rhys.

Gwenodd Anwen. Gwyddai fod Rhys yn mynd i dynnu'r ddau ohonyn nhw o'r helynt trwy siarad.

'Dw i ddim wedi gweld tân fel 'na ers tro byd,' ychwanegodd Rhys. 'Bu bron iawn ichi dostio'r frân yn fyw.'

Daeth sŵn crawc o'r tu allan.

Nodiodd Mrs Prydderch, gan dderbyn canmoliaeth Rhys yn gwrtais.

Roedd golwg chwyslyd ac anesmwyth ar Doc Penfro a Kid Welly, ond nodiodd y ddau i ddangos eu bod nhw'n cytuno. Syllodd pawb ar Rhys. Gwenodd ac aeth i sefyll o flaen yr amserlen, gan esbonio ei fod e wedi cuddio'r garreg. A thrwy siarad am amserau'r bysiau, y llwybrau hedfan uwch eu pennau ac unrhyw beth arall y gallai feddwl amdano a oedd yn gwneud y croestorfan hwn mor arbennig, dywedodd e wrthyn nhw sut roedd e wedi cuddio'r Garreg Las hudol, er diogelwch pawb.

'Mae'n rhaid inni weithio gyda'n gilydd,' meddai, 'fel nad yw'r garreg yn mynd i ddwylo'r bobl anghywir.'

Dywedodd wrth bawb mai'r peth gorau i'w wneud fyddai galw ynghyd yr holl greaduriaid – bodau, ysbrydion a chymeriadau mytholegol a oedd yn chwilio am y garreg hudol. Gallai esbonio wrth bob un taw dyma'r ffordd orau iddyn nhw amddiffyn ei gilydd a phawb arall rhag dyfodiad y Brenin.

'Mae'r Brenin ar ei ffordd,' gwaeddodd Rhys. 'Mae'n rhaid inni fod yn barod. I lawr â'r Brenin!'

Er syndod i Rhys, nodiodd pawb yn yr arhosfan. 'I lawr â'r Brenin,' meddai'r lleill yn nerfus.

Gofynnodd Mrs Prydderch i Rhiannon agor y pwrs du a rhoi'r papur decpunt i Rhys. 'Am fod yn fachgen da.'

Doc Penfro a Kid Welly oedd y cyntaf i adael. Cerddon nhw allan o'r arhosfan, gan siglo llaw Rhys.

'Unwaith Yn Y Pedwar Gwynt wyt ti, Rhys,' meddai Doc. 'Fe gasglwn ni griw ynghyd ac yna fe gei di fynd â ni at y garreg.'

Nodiodd Rhys, yn chwithig braidd.

'Dim problem,' meddai Anwen yn hyderus. 'Mae Rhys wedi meddwl am bopeth.'

Mrs Prydderch a Rhiannon oedd y nesaf i adael. Gwenodd Mrs Prydderch a dywedodd hi wrth Rhys y byddai'n rhoi'r gair ar led; roedd hi'n adnabod miloedd o wrachod a oedd eisiau gweld y Garreg Las.

Nodiodd Rhys.

'Nawr 'te,' meddai hi, 'gan dy fod ti'n un ohonon ni, fydd dim ots gyda ti os galwa i ar Beth.'

'Pwy yw Beth?' gofynnodd Anwen.

'Ei draig hi,' esboniodd Rhys. 'Mae'n ffrwydro pethau.'

'Mae'n gallu hedfan yn dda hefyd,' meddai Mrs Prydderch, gan chwibanu â'i bysedd rhwng ei dannedd. 'Mae'r rhan fwya o ddreigiau'n eitha araf, fel deinosoriaid, ond Beth … mae Beth yn groes rhwng Lamborghini a roced.'

Cyn i Anwen a Rhys gael cyfle i dynnu anadl, cawson nhw eu bwrw'n ôl gan chwa o wynt a rhu anferthol clec sonig, wrth i Beth hedfan yn syth i lawr o'r awyr. Wnaeth hi ddim sgidio i stop. Roedd fel petai hi wedi taranu i'r ddaear yng nghanol bloedd byddarol.

Cymerodd Anwen a Rhys gam tuag yn ôl. Roedd Beth yn ffyrnig. Roedd hi tua'r un maint â cheffyl ac yn fflamgoch, ac ar hyd ei chorff roedd olion huddygl du o'i cheg danllyd. Roedd cennau caled, fel dur, drosti i gyd a gwynt glo llosg arni. Edrychodd Beth o'i chwmpas yn ddig, ei llygaid mor llachar â diemyntau, a mwg yn codi'n donnau o'i cheg.

'Hoffech chi weld ffrwydrad arall?' gofynnodd Mrs Prydderch yn frwd. 'Allwch chi weld y tŷ 'na hanner ffordd i fyny'r rhiw?'

Syllodd y ddraig ar y tŷ.

'Ydych chi eisiau ei ffrwydro?'

'Naaaaaa!' gwaeddodd Rhys. 'Fy nghartre i yw hwnna – mae Dad yno'r eiliad hon!'

'Trueni,' meddai Mrs Prydderch cyn mynd i eistedd ar gefn y ddraig a thynnu Rhiannon i eistedd y tu ôl iddi. 'Mae Beth yn falch o unrhyw gyfle i ymarfer saethu tân.'

Ar hynny, diflannodd Beth yn syth i fyny i'r awyr, 0–1400 milltir yr awr o fewn un eiliad. Y cyfan a oedd ar ôl oedd chwa o fwg du a gwynt cras glo a oedd newydd gael ei dorri.

Eisteddodd Anwen. 'Roeddwn i wastad wedi meddwl taw bachgen go ryfedd oeddet ti,' meddai, 'yn chwarae fan hyn drwy'r amser ar dy ben dy hun. Ond dwyt ti ddim. Beth sy'n digwydd?'

'Mae'n rhaid i fi gael gafael ar y garreg 'na eto,' cwynodd Rhys.

'Ond nid carreg hudol go iawn yw hi,' meddai Anwen.

'Dw i'n gwbod, ond maen *nhw'n* meddwl ei bod hi. Maen nhw'n meddwl bod yr arhosfan hwn yn eistedd ar groestorfan o leylinellau cosmig ac mai yn fan hyn mae'r garreg hudol. Yn waeth na hynny, maen nhw'n meddwl taw Unwaith Yn Y Pedwar Gwynt ydw i. Maen nhw'n meddwl fy mod i wedi dwyn y Garreg Las filoedd o flynyddoedd yn ôl. Ond dw i ddim yn gwbod y gwahaniaeth rhwng carreg hudol ac un normal – wyt ti?'

Meddyliodd Anwen am eiliad. 'Efallai fod carreg

hudol yn disgleirio, neu'n bipan, neu'n twymo ac yn crynu,' meddai, gan ysgwyd ei phen.

'Dw i ddim credu hynny. Byddai'n rhy hawdd dod o hyd i gerrig sy'n disgleirio neu'n bipan neu'n crynu,' meddai Rhys yn drist.

'Roeddwn i'n meddwl taw Unwaith Yn Y Pedwar Gwynt oeddet ti,' meddai hi. 'Dere nawr … wir.'

Edrychodd Rhys ar Anwen fel petai hi oedd yr un oedd wedi colli'r plot. 'Ydw i'n edrych fel un ohonyn nhw? Bachgen cyffredin ydw i … yn gyffredin, fel ti.' Oedodd Rhys. 'Wel … ddim yn union fel ti. Dw i ddim yn gallu reidio beic fel ti, dw i ddim yn gallu darllen fel ti, dw i ddim yn gallu gwneud chwaraeon fel ti.'

'Ond,' meddai Anwen, '*mae* 'na rywbeth amdanat ti. Maen nhw'n iawn. Rwyt ti'n dipyn o Unwaith Yn Y Pedwar Gwynt, wyt – efallai nad wyt ti'n llawn hud a lledrith, ond dw i erioed wedi cwrdd â neb arall sy'n gallu siarad â dreigiau … wir iti.'

Nodiodd Rhys. Roedd hynny'n ddigon gwir. Fe oedd yr unig un roedd e'n ei adnabod a allai ddweud yn onest ei fod e wedi rhybuddio draig i beidio â ffrwydro ei dad!

'Elli di ddim jest … tiwnio … deffro dy bwerau?' gofynnodd Anwen. 'Elli di ddim defnyddio dy bwerau arbennig i ffindio'r garreg arbennig? Wedi'r cyfan, maen nhw'n iawn – mae 'na lwyth o hen chwedlau am y cerrig rownd ffordd hyn. Mae'n bosib bod peth gwir ynddyn nhw.'

'Sut dw i'n mynd i wneud hynny?' gofynnodd Rhys.

'Meddylia – Unwaith Yn Y Pedwar Gwynt wyt ti. Defnyddia dy feddwl arbennig. Cau dy lygaid a meddylia am y leylinellau cosmig, am yr arhosfan, yr ynni yn y ddaear – yr holl stwff hipi 'na,' meddai Anwen.

Caeodd Rhys ei lygaid a cheisio mynd yn un â'r ddaear. Daliodd gledrau ei ddwylo o'i flaen. Daliodd ei wynt.

Yn y diwedd, bu'n rhaid iddo anadlu. Gyda ffrwydrad mawr, agorodd ei geg a chwythodd allan ac i mewn, gan siglo'i ben a chwerthin. 'Dim byd,' meddai. 'Dim yw dim.'

17 Ymosodiad y Sbanerwyr

CERDDODD RHYS ac Anwen ar hyd y Lôn Droellog tuag at eu tai. Gwthiodd Anwen ei beic, gan ddal i siarad am y dreigiau, gwrachod a chymeriadau eraill a lenwai ei phen. Gwnaeth Rhys iddi addo peidio â dweud wrth neb.

'Aros funud,' meddai hi. 'Beth am Dafi?'

Chwarddodd Rhys am ben Anwen. Blinciodd ei llygaid mawr gwyrddlas arno; roedden nhw'n eithaf tebyg i rai Dafi, meddyliodd.

Dywedodd Rhys wrthi fod y ddafad yn saff am fod Dafi'n gwybod beth oedd yn digwydd, yn union fel y frân. Gadawodd e Anwen a cherddodd ar hyd y Lôn Droellog a arweiniai at ei fwthyn. Roedd y Rover wedi'i barcio ar ddarn o laswellt y tu allan i'r drws pren sigledig. Roedd darnau o hen dreilyrs, teiars tractorau a darnau eraill o offer fferm yn gorwedd ar hyd y lle. Gwthiodd Rhys y drws ar agor a chamu i mewn i'r ystafell fyw. Eisteddai Siôn ar yr hen soffa gan wylio'r teledu. Gofynnodd e a oedd Rhys yn iawn. Dywedodd

Rhys ei fod e ac aeth i eistedd wrth y bwrdd crwn wrth ochr y soffa. Ffindiodd y llyfr roedden nhw'n ei ddarllen a dechreuodd ymarfer. Rhywsut, roedd darllen storïau'n ei helpu i anghofio beth oedd yn digwydd i lawr wrth yr arhosfan. Stori arswyd oedd y stori roedd e'n ei darllen – roedd yn llawn sombis ac ysbrydion. Doedd Rhys ddim yn meddwl bod llawer o arswyd ynddi o gwbl.

'Popeth yn iawn gyda ti?' gofynnodd Siôn.

'Iawn,' meddai Rhys.

'Yr ysgol yn iawn?' gofynnodd Siôn.

'Iawn,' meddai Rhys.

'Rwyt ti wedi bod yn treulio eitha tipyn o amser i lawr yn yr arhosfan. Beth sy'n digwydd yno?' gofynnodd Siôn.

Oedodd Rhys am funud. 'Dim byd a dweud y gwir,' meddai yn y llais mwyaf didaro a oedd ganddo.

Aeth Siôn i mewn i'r gegin a choginiodd rywbeth i de. Yna gwylion nhw ragor o deledu gyda'i gilydd tan amser gwely. Roedd hi'n noson dawel.

Tua dau o'r gloch y bore, cafodd Rhys ei ddeffro gan sŵn ratlo ar ffenest ei ystafell wely. Fel pob un o'r ffenestri yn y bwthyn, roedd hon yn hen ac wedi'i gwneud o bren a doedd hi ddim yn ffitio'i ffrâm mwyach. Pan fyddai'r gwynt yn rhuo byddai pob un o'r ffenestri'n siglo ac yn cadw sŵn yn eu fframiau. Weithiau poenai Rhys fod ei ffenest yntau'n mynd i gwympo allan, fel dant drwg. Roedd hi'n ratlo nawr, ond doedd dim gwynt o gwbl.

Gwthiodd Rhys y dwfe oddi arno a chroesodd yr ystafell ar flaenau ei draed nes cyrraedd y ffenest. Edrychodd drwyddi ond ni allai weld dim byd. Neu yn hytrach, fe allai weld pethau – cysgodion a siapiau – ond ni allai eu gweld yn ddigon clir. Doedd dim sêr; roedd cymylau trwchus du yn cuddio'r lleuad. Er hynny, gallai deimlo rhywbeth. Roedd e'n siŵr bod rhywbeth yno, yng nghanol y düwch. Gwasgodd Rhys ei drwyn yn erbyn y gwydr ac edrychodd i gyfeiriad clos y fferm.

Yn sydyn, dyma siâp yn neidio ar silff ei ffenest. Llamodd Rhys yn ôl mewn braw, gan guddio'i wyneb. Pan edrychodd eto gallai weld Wdig yn sefyll yn ffrâm y ffenest, a hwnnw'n gweiddi ac yn gwneud arwyddion arno i agor y ffenest.

Agorodd Rhys y ffenest a daeth Wdig i mewn. Roedd golwg ofnadwy arno. Roedd ei groen gwyrdd yn flotiog, roedd ei ddillad wedi'u tynnu'n racs jibidêrs, a llifai dafnau mawr o chwys gwyrdd ar hyd ei wyneb.

'Mae'n rhaid i Rhys ddod nawr! DERE NAWR!' meddai Wdig, gan afael yn llaw Rhys a'i dynnu tuag at y ffenest.

Ychydig yn ddiweddarach, ar ôl gwisgo a dringo allan trwy'r ffenest, rhedodd Rhys ac Wdig ar hyd y Lôn Droellog tuag at yr arhosfan. Roedd Wdig yn ceisio'i orau glas i esbonio ond doedd dim llawer o synnwyr i'r hyn a ddywedai. Siaradai o hyd ac o hyd am y

Sbanerwyr, am y garreg hudol a'r ffaith fod angen help Rhys arno. Ond ni allai Rhys ddeall pam.

Cyrhaeddon nhw'r arhosfan. Roedd y ffordd yn dawel ac yn dywyll. Roedd yr awyr yn ddu ac roedd aer y nos yn drwm ac yn llaith. Roedd hi bron yn amhosib gweld dim byd.

'Edrych,' meddai Wdig yn orfoleddus.

Ni allai Rhys weld dim byd. Roedd yn rhy dywyll. Cydiodd Wdig yn ei law a'i dynnu'n nes at y glwyd, yn ymyl y twll lle roedd y garreg yn arfer bod.

'Fan 'na,' meddai Wdig, gan dynnu dwylo Rhys ymlaen nes eu bod yn cyffwrdd â'r garreg. A hithau'n anferth ac yn ddu, safai'r garreg yn ei man newydd, ychydig fetrau o'r arhosfan, lle roedd Wdig wedi'i gosod. Heb fod ymhell i ffwrdd gwyliai'r frân y cyfan, a chorff du'r aderyn yn amhosib ei weld yn erbyn tywyllwch y nos.

'Fe wnes i ei chadw hi. Ei chuddio a'i chadw a nawr dw i wedi'i rhoi fan hyn, wrth ochr arhosfan hudol Rhys,' meddai Wdig yn llawn balchder.

'Fe wnest ti fy nhynnu o'r tŷ yng nghanol y nos jest er mwyn gweld hyn?' gofynnodd Rhys. 'Dim ond hen garreg fawr yw hon – dyw hi ddim yn hudol, does ganddi ddim pwerau arbennig . Ti sy'n meddwl ei bod hi'n arbennig. Dyma'r garreg fwya roeddwn i'n gallu ei gweld ar y pryd.'

'Na,' meddai Wdig. 'Dwyt ti ddim yn cellwair ynglŷn â rhywbeth fel hyn. Hyd yn oed os wyt ti'n dweud dy fod ti. Mae Wdig yn gwbod y gwahaniaeth rhwng jocan, ffugio, peidio â dweud y gwir a rhaffu celwyddau. Rwyt ti'n chwarae gydag Wdig, cellwair wyt ti.'

'Dw i ddim, Wdig,' mynnodd Rhys. 'Dim ond hen garreg fawr yw hon. Ac mae'r twll 'na yn ei hymyl, lle roeddet ti wedi'i chuddio … o fan 'na y daeth hi. Dim ond lwmpyn mawr o hen graig yw e.'

'Dwed di,' meddai Wdig. 'Ac mae'n hudol.'

Daliodd Rhys ei ben yn ei ddwylo. 'Sawl gwaith mae eisiau i fi …'

'Beth bynnag,' meddai Wdig, gan dorri ar ei draws. 'Nid dyma pam dw i wedi dod â ti i fan hyn.'

'O ddifri?' meddai Rhys.

'O ddifri. Nid achos hon …' meddai Wdig, gan daro'r garreg yn ysgafn â'i droed, 'ond rheina.' Pwyntiodd Wdig heibio i'r glwyd ac ar draws y cae.

Culhaodd Rhys ei lygaid, ond ni allai weld dim byd. Gallai wynto rhywbeth, er hynny – roedd yn ei atgoffa o'r labordy gwaith metel yn yr ysgol, dur du ac olew.

'Mae Sbanerwyr ym mhobman. Mae Wdig wedi bod yn cloddio ac yn tynnu'r garreg 'na ar hyd y lle drwy'r dydd er mwyn cadw draw oddi wrthyn nhw. Nawr mae e wedi blino. Nawr all e ddim symud y garreg un cam ymhellach. All Wdig ddim symud y garreg mwyach.'

Roedd Rhys yn dal i gael trafferth gweld problem Wdig. Yna fe ddeallodd yn berffaith.

Daeth bloedd o'r pellter, fel uwch-sarjant yn rhoi gorchymyn i'w filwyr. Canodd ar draws y cae ac, yn sydyn, dyma sŵn newydd yn llenwi'r awyr: sŵn clonciog metel rhydlyd yn crensian yn erbyn metel, sŵn arfau ar gerdded, sŵn rhygnu a rhwygo metel ar fetel. Cafodd ffaglau eu cynnau, ac erbyn hyn gallai Rhys weld fod problem anferthol o'u blaenau. Dechreuodd byddin o farchogion metel rhydlyd, browngoch gamu ar draws y cae, eu traed clonciog trwm yn pwnio'r glaswellt yn fwd.

'Maen nhw eisiau'r garreg,' meddai Wdig er mwyn ceisio bod o help.

Gwyliodd Rhys mewn arswyd wrth i filoedd o siapiau metel grensian a griddfan i fyny'r cae tuag atyn nhw, fflamiau'n fflachio ac yn ffrwydro trwy'r goleuni bob hyn a hyn wrth i saethwyr y Sbanerwyr dynnu llinynnau metel eu bwâu hir yn ôl. Wrth iddyn nhw gael eu gollwng byddai'r gwifrau'n atseinio â'i gilydd, gan greu sŵn aflafar, iasoer. Dechreuodd saethau wibio heibio iddyn nhw, gan daro dwmbwr-dambar yn erbyn ochr y garreg.

'Wdig!' gwaeddodd Rhys. 'Pam yn y byd mawr wyt ti wedi dod â fi i fan hyn? Rydyn ni'n siŵr o gael ein lladd!'

Cydiodd Wdig yn llaw Rhys a sibrwd: 'Mae Rhys yn ffrind i Wdig, ac fe wnaiff e ei helpu i ymladd yn erbyn y Sbanerwyr.'

Gallai Rhys weld y Sbanerwyr yn well erbyn hyn. Yn hanner metel sgrap a hanner marchogion mewn arfwisg, roedden nhw'n edrych fel hen geir wedi torri gyda choesau a breichiau peiriannau golchi. Cariai ambell un gleddyf rhydlyd, tra bod gan eraill fwyelli, a daliai rhai ohonyn nhw beipiau metel â hoelion rhydlyd wedi'u gyrru drwyddyn nhw.

Chwiliodd Rhys o'i gwmpas yn y gobaith y byddai'n ffindio rhywbeth i'w ddefnyddio er mwyn amddiffyn eu hunain. Tynnodd e Wdig i mewn i'r arhosfan wrth i saethau'r Sbanerwyr ratlo'n erbyn y gwydr gwydn. Cododd Rhys ychydig o gerrig oddi ar y llawr, y rhai yr arferai chwarae â nhw. Rhoddodd e lond llaw i Wdig.

'Beth ydw i fod i'w wneud gyda'r rhain?' gofynnodd.

'Eu taflu nhw,' gwaeddodd Rhys, a gyda'i gilydd dyma nhw'n gwibio i mewn ac allan o'r arhosfan, gan daflu cerrig i lawr at y Sbanerwyr. Ond doedd y cerrig ddim yn ddigon i'w stopio; y cyfan wnaethon nhw oedd sboncio oddi ar yr hen arfwisg rydlyd heb hyd yn oed ei tholcio. Ambell waith bydden nhw'n llwyddo i fwrw bys neu droed a byddai hwnnw'n hedfan i ffwrdd. Ond byddai'r Sbanerwr yn stopio'n stond, yn chwilio am y darn coll cyn mynd ati i'w roi'n ôl yn ei le gan ddefnyddio sbaner, nytiau a bolltiau. Roedd pob un yn hen law ar drwsio'i hunan. Roedd hi fel petai'n amhosib eu dinistrio.

Trodd Rhys ac edrych ar Wdig. Roedd ei ffrind yn fach, yn wyrdd ac yn llawn ofn yr eiliad honno, a sylweddolodd e fod y creadur bach rhyfedd hwn yn meddwl o ddifrif y gallai Rhys ei helpu. Deallodd hefyd fod Wdig wir yn credu fod gan y garreg fawr bwerau arbennig. Uwch eu pennau, gallen nhw glywed y frân yn gwawchio ac yn crawcian wrth i'r Sbanerwyr ddod yn nes. Heb feddwl, neidiodd Rhys i fyny a thynnu ei hun mor uchel â'r to. Gwthiodd ei law allan a gafael yn y frân, gan dynnu'r aderyn i lawr ac i ddiogelwch yr arhosfan.

'Arhoswch fan hyn,' gwaeddodd Rhys ar y frân ac Wdig.

Yna rhuthrodd i'r cae a thynnodd Dafi i'r arhosfan. O leiaf bydden nhw'n saff am ychydig funudau eto. Gallai Rhys glywed y metel yn cracio a'r sbaneri'n crensian ac yn grwnan. Nawr roedd yn rhaid iddo feddwl yn chwim – yr unig baratoadau roedd e wedi'u gwneud i amddiffyn yr arhosfan oedd y ffosydd yn ymyl y glwyd, ambell bentwr o gerrig ac, wrth gwrs, y brigau a ddefnyddiai i chwarae ffrwydron tir.

'Reit,' meddai Rhys. Edrychodd y ddafad, y frân ac Wdig arno. 'Dafi ac Wdig, cerwch chi i'r ffos a defnyddiwch y cerrig; frân, cer di â'r brigau a'u bomio nhw. Yna ar fy ngair inne, dylai pawb symud nôl i'r garreg fawr. Dyna fydd ein castell.'

Dyma Wdig a Dafi'n ei heglu hi draw at y ffos, cododd y frân y brigau a'u gollwng nhw ar ben y Sbanerwyr. Llwyddon nhw i arafu'r milwyr metel, ond allen nhw ddim atal y don.

Rhedodd Rhys ar hyd y cae yn y cysgodion. Cydiodd yn y Sbanerwyr a'u tynnu i'r llawr â'i ddyrnau noeth, gan osgoi eu llafnau gwyllt. Ond roedd gormod ohonyn nhw. O dipyn i beth cafodd Rhys a'r lleill eu gwthio'n ôl nes iddyn nhw gael eu cornelu yn yr arhosfan.

Edrychodd Rhys ar Wdig. Roedd e'n fyr ei wynt, ei ddwylo ar ei bengliniau, yn brwydro am anadl. 'Beth ydyn ni'n mynd i'w wneud, Rhys?' gofynnodd. 'Mae hyn yn wallgo.'

Llithrodd gên Dafi o ochr i ochr cystal â dweud: 'Mae e yn llygad ei le.'

'Nôl!' gwaeddodd Rhys.

Rhuthron nhw allan o'r arhosfan a dringo i ben y garreg. Yn y diwedd, cafodd Rhys, Wdig a Dafi eu hamgylchynu wrth iddyn nhw gicio'n ôl y llafnau swnllyd ar freichiau rhydlyd y Sbanerwyr. Uwch eu pennau hedfanodd y frân mewn cylch, gan grawcian nerth ei phen.

'Mae drosodd,' gwaeddodd Rhys. 'Alla i ddim eu dal nhw nôl ddim rhagor.'

Dechreuodd Wdig grio wrth iddo gicio'r Sbanerwyr yn ôl â'i draed gwyrdd. 'Paid â gadael i'r Sbanerwyr ennill,' meddai trwy ei ddagrau. 'Dw i ddim eisiau cael fy mwyta, dw i ddim eisiau colli'r garreg i'r biniau sbwriel hyn.'

Cododd Rhys ei ben ac edrych ar y frân. Ac mewn chwinciad dyma'r syniad yn ei daro – gwyddai beth i'w wneud. Gwaeddodd ei gyfarwyddiadau i'r frân a hedfanodd yr aderyn i ffwrdd ar unwaith. Yna cofiodd Rhys rywbeth arall. Teimlodd rywbeth yn ei boced a'i dynnu allan. Yn ei law daliai'r garreg fach wen a gawsai

gan y Wraig Wlanog. Roedd hi wedi dweud wrtho y dylai ddefnyddio'r garreg fach petai e byth yn mynd i drafferth fawr. Gallai weld y Sbanerwyr yn sefyll o gwmpas y garreg fawr, eu llygaid yn llosgi'n wenfflam y tu mewn i'w helmedau metel wrth iddyn nhw dynnu eu hunain i fyny'r ochrau. Doedd 'na'r un drafferth a oedd yn fwy na'r drafferth hon, y funud hon.

'Bant â ni!' gwaeddodd Rhys, a thaflodd e garreg y Wraig Wlanog at y Sbanerwyr. Roedd ffrwydrad a hedfanodd y Sbanerwyr tuag yn ôl, oddi wrth y garreg fawr.

'Ffan-blincin-tastig,' gwaeddodd Wdig.

Cloffodd y Sbanerwyr; cydion nhw yn eu breichiau a choesau coll a dechrau eu tynhau. Doedd dim ots ble'r aeth pethau: tair braich, pedair coes, dau ben, dwylo'n ymwthio o'u brestiau, a sbaneri bach yn tynhau pob un. Pan oedden nhw'n barod dechreuon nhw agosáu unwaith eto, gan ochneidio a griddfan fel llongau mewn moroedd gwyllt.

Edrychodd Rhys o'i gwmpas yn daer; doedd dim golwg o'r frân. Cododd Dafi ei lygaid tua'r awyr cystal â dweud ei bod hi'n ddominô arnyn nhw – doedd dim dianc nawr.

Ond wrth i'r Sbanerwyr ymffurfio eto a dechrau ymosod, gan ddringo ar ben ei gilydd fel môr o grancod rhydlyd nes eu bod bron â chyrraedd pen y garreg, gwelodd Rhys beth roedd e eisiau ei weld.

Roedd un o fysiau'r Brodyr Williams – un glas

golau a golwg fwganllyd arno – yn dod ar ras wyllt i lawr y Rhiw Gyntaf ac allan o ddüwch y nos. Gallai Rhys glywed y teiars mawr Firestone yn sgrechian ar y tarmac. Y tu mewn, gallai weld Doc Penfro wrth y llyw, Kid Welly, Mrs Prydderch, Rhiannon, a sedd ar ôl sedd yn llawn o'r Tylwyth Drwg, dewiniaid yn dal tocynnau bws, derwyddon yn dal hen lyfrau swyn, a chreaduriaid o'r llynnoedd, nentydd, ffynhonnau a'r mynyddoedd. Wrth iddyn nhw ddod yn nes, gwelodd Rhys ambell gip ar adenydd y frân yng ngoleuadau'r bws. Roedd y frân wedi mynd â'r neges ac wedi dod â help. O'r Lôn Droellog, daeth Anwen ar gefn ei beic. Sgrechiodd i stop, gan fwrw un o'r Sbanerwyr i'r llawr â'r olwyn gefn. Rhuthrodd tuag at y garreg cyn bwrw rhagor o Sbanerwyr oddi arni â ffon.

'Roeddwn i'n methu cysgu,' gwaeddodd hi. 'Wedyn clywais i'r holl sŵn lawr fan hyn – roeddwn i'n gwbod taw ti oedd yma.'

'Da iawn, Anwen,' gwaeddodd Rhys, gan ddal ei law allan a'i thynnu i ben y garreg. 'Nawr rwyt ti yn ei chanol hi.'

Anogodd Rhys y ddau arall – Dafi ac Wdig – i ddal ati. Hyrddiodd Dafi ei ben yn erbyn y Sbanerwyr. Gwthiodd Rhys nhw i'r llawr â'i ddyrnau noeth a defnyddiodd Wdig ei ddwylo anferth fel morthwylion i'w bwrw'n ôl.

Daeth y bws yn nes. Bws rhif 37 o'r orsaf oedd e, yr un traws gwlad, a daeth yn fwy clir gyda phob eiliad.

Eisteddodd y frân ar y to, gan grawcian nerth ei phen. Sgrechiodd y bws i stop a tharodd Doc Penfro'r botwm i agor y drysau. Llifodd y teithwyr allan. Rhedodd Kid Welly a Mrs Prydderch tuag at y Sbanerwyr, gyda Mrs Prydderch yn eu bwrw ag ymbrelo du a Kid Welly yn eu taflu dros ei ysgwyddau â'i ddyrnau noeth. Ond roedd eraill yno hefyd: creaduriaid doedd Rhys erioed wedi cwrdd â nhw o'r blaen. Roedd rhai yn debyg i bobl: gwrachod, dewiniaid a beirdd o'r bryniau yn cyfnewid swynau. Ond doedd eraill yn ddim byd tebyg i bobl: uncyrn, ellyllon, griffoniaid a bleidd-ddynion.

Ymosododd pawb ar y Sbanerwyr. Ar y dechrau llwyddodd y milwyr metel i ddal eu tir, gan dynhau eu cymalau a tharo'n ôl. Roedd y sŵn yn ofnadwy, fel peiriant yn ffrwydro dros orsaf bŵer yr un pryd â bloedd gan dorf anferth mewn gêm bêl-droed. Yna, heb rybudd, daeth yr ergyd dactegol fwyaf – yr ymosodiad o'r awyr. Yr aroglau oedd y peth cyntaf i Rhys ei adnabod – gwynt sych, cras glo a oedd newydd gael ei dorri. Gwenodd. Gwyddai fod ei gais am help o'r awyr wedi cyrraedd, gyda'r glec sonig yn chwalu awyr y nos yn racs jibidêrs wrth iddi adleisio dros y bryniau, i lawr y clogwyni ac allan i'r môr. Ymledodd ar draws y byd.

Roedd bomiau Beth, draig Mrs Prydderch, yn malu'r Sbanerwyr yn ddarnau mân. Nawr roedden nhw mewn trafferth. Llwyddon nhw i ddal eu gafael yn y garreg fawr am ychydig eiliadau eto, ond cyn bo hir roedd y creaduriaid rhydlyd yn syrthio'n ôl mewn anhrefn, gan gwympo i lawr y rhiw wrth i Doc Penfro, Kid Welly a phob un o'r lleill oedd ar y bws ruthro tuag atyn nhw dro ar ôl tro.

Cododd Wdig ei law mor uchel ag y gallai. 'Go dda, Rhys!' meddai. 'Ti'n wych.'

Trawodd Rhys law Wdig a gwenu. Doedd e ddim wedi sylwi o'r blaen fod gan Wdig bedwar bys a dwy fawd ar bob un o'i ddwy law anferth. Roedd hyd yn oed Dafi yn llawn edmygedd; dyma fe'n rhoi'r gorau i gnoi. Roedd Rhys newydd ennill brwydr – brwydr rhwng creaduriaid roedd y rhan fwyaf o bobl wedi anghofio amdanyn nhw ers tro byd. Roedd Rhys wastad wedi meddwl nad oedd ganddo unrhyw bwerau arbennig o gwbl, eto i gyd roedd e newydd gael gwared â byddin o Sbanerwyr – miloedd ohonyn nhw. Ac os nad oedd y garreg yn arbennig iddo o'r blaen, roedd e'n dechrau teimlo ei bod hi'n arbennig erbyn hyn. Roedd hi wedi tyfu'n arbennig.

Dringodd Rhys yn ôl ar ben y garreg a sefyll wrth ochr Anwen, y ddau yn codi eu dyrnau i'r awyr yn fuddugoliaethus. Daeth bloedd anferth oddi wrth y lleill hefyd. O'r ffosydd, o'r awyr, o bob man gallai glywed pobl yn gweiddi, 'Rhys, Rhys, Rhys – mae Rhys wedi achub ein carreg hudol!'

Chwifiodd Anwen ei ffon a gweiddi nerth ei cheg: 'Enillon ni, enillon ni.'

Yna sylwodd Rhys ar y goleuadau a'r seirenau.

Gallai weld ceir heddlu a sawl injan dân yn dod o'r ddau gyfeiriad – mor bell i ffwrdd â Thyddewi. Roedd hi'n amlwg bod yr holl sŵn a'r ffrwydradau wedi tarfu ar yr heddwch – yn ddifrifol. Edrychodd i gyfeiriad y Lôn Droellog. Roedd ei dad, tad Anwen a'i gŵn yn brasgamu ar hyd y lôn, eu tortshys yn goleuo'u llwybr.

Gwaeddodd ei orchymyn olaf i'r llond bws o ysbrydion: 'Cuddiwch – nawr!'

O fewn eiliad, diflannodd ei fyddin o greaduriaid rhyfedd. Aeth rhai, fel Wdig, i guddio yn y cloddiau a defnyddiodd eraill, fel Mrs Prydderch a Rhiannon, eu hud a lledrith i fynd o'r golwg. Defnyddio eu sgiliau wnaeth y rhai oedd yn debycach i bobl, fel Doc a Kid, am eu bod nhw'n feistri ar wybod sut i fynd o'r ffordd; wedi'r cyfan, roedden nhw wedi bod yn ymarfer ers miloedd o flynyddoedd.

Pan gyrhaeddodd ei dad y garreg lle roedd Rhys ac Anwen yn sefyll, doedd neb arall ar ôl. Yr unig bethau oedd i'w gweld oedd y garreg, yr arhosfan ac, uwch eu pennau, siâp aneglur rhyw fws yn cael ei dynnu trwy awyr y nos ac yn ôl i'w orsaf gan ddraig fach bwerus o'r enw Beth.

'Beth sy'n digwydd, Rhys?' gofynnodd Siôn wrth i dad Anwen Beic gyrraedd gyda'i gŵn a'i ddryll.

Edrychodd Rhys o'i gwmpas; ni wyddai beth i'w ddweud. Yn dawel fach, dringodd e ac Anwen i lawr oddi ar y garreg.

Cyrhaeddodd yr heddlu. Roedden nhw eisiau

gwybod am y ffrwydrad, y ffaith bod pobl ar draws yr ardal wedi ffonio i gwyno am awyrennau milwrol yn hedfan yn isel gan achosi cleciau sonig oedd wedi siglo eu ffenestri a deffro eu hanifeiliaid.

Roedd pawb eisiau gwybod beth roedd Rhys ac Anwen wedi'i weld. Yn y diwedd, roedd yn rhaid iddo ddweud wrthyn nhw ac, wrth gwrs, doedd neb yn ei gredu.

'O ble daeth y garreg fawr 'ma?' gofynnodd un heddwas, gan gicio'r garreg yn amheus â'i esgid ddu, sgleiniog.

'Dw i erioed wedi sylwi ar hon o'r blaen,' mwmiodd dyn tân, gan ffroeni'r awyr. 'Ydw i'n gallu gwynto nwy yn gollwng?'

'Mae'n od … y pethau dwyt ti ddim yn eu gweld pan ti'n nabod ffordd yn rhy dda,' meddai gyrrwr ambiwlans wrth ddod i sefyll ar bwys yr heddwas o flaen y garreg. 'Dw i'n siŵr nad oedd hon fan hyn yr wythnos diwetha.'

18 Roxy

'O BLE gest ti'r garreg 'ma?' gofynnodd y Ditectif Sarjant Watcyn. Crafodd ei farf lwyd, gwthiodd ei ysgwyddau'n ôl a syllu'n ddig ar Rhys yr ochr arall i'r bwrdd. 'Mae'n pwyso tua 37 tunnell, a'r peth mwya rhyfedd yw hyn – mae fel petai'n mynd yn drymach.'

Gostyngodd Rhys ei ben. Mwmiodd rywbeth wrth ei dad a eisteddai yn ei ymyl.

'Mawredd annwyl, grwt,' gwaeddodd ei dad. 'Siarada'n iawn â'r heddwas neu fe roia i grasfa iti.'

Codi ei llygaid wnaeth y weithwraig gymdeithasol a eisteddai wrth ochr Siôn.

Gwgodd y cyfreithiwr a eisteddai nesaf ati wrth i honno ysgrifennu rhywbeth ar frys yn ei llyfr nodiadau.

Siaradodd y Ditectif Sarjant Watcyn eto, yn araf. 'Fydd dim angen hynny, oni bai eich bod chi hefyd eisiau mynd i'r llys', meddai. Tapiodd ei fysedd ar ei fola mawr crwn.

'Doeddwn i ddim yn ei feddwl e,' meddai Siôn.

'Ond mae e'n llawn rhyw hen storïau twp drwy'r amser. Chewch chi byth ddim byd 'call' oddi wrtho fe … dim byd o ddifri. Mae e'n meddwl taw rhyw fath o groestorfan cosmig yw'r arhosfan 'na.'

Trodd Siôn at Rhys a rhoi ei fraich amdano. 'Wir iti, Rhys. Dw i ddim yn grac gyda ti … ddim go iawn. Mae gen i ddiddordeb. Mae gan bawb ddiddordeb. Oes gen ti unrhyw syniad o ble daeth yr hen garreg anferth 'na ar bwys dy arhosfan?'

Edrychodd Rhys ar bob un o'r wynebau yn yr ystafell. Doedd dim golwg gas arnyn nhw. Ochneidiodd a nodio ei ben. Fe ddywedai'r gwir wrthyn nhw. Ochneidiodd pawb.

'Da iawn, Rhys,' meddai Siôn, gan roi ei law ar gefn ei fab.

'Ellyll oedd e,' meddai Rhys.

Edrychodd y weithwraig gymdeithasol arno â llygaid mawr.

'Un gwyrdd,' meddai Rhys, 'â chroen gwyrdd, llygaid o liwiau gwahanol a dwy fawd ar bob llaw …'

Cododd y Ditectif Sarjant Watcyn ar ei draed a bwrw ei dalcen â chledr ei law. Sgriblodd y weithwraig gymdeithasol yn ei llyfr. Gostyngodd Rhys ei ben.

'Dyna ddigon!' gwaeddodd Siôn, gan wthio ei gadair tuag yn ôl a thynnu Rhys ar ei draed. 'Os yw'r crwt yn dweud ei fod e wedi gweld ellyll, mae hynny'n ddigon da i fi. Bachgen da yw Rhys a dyw e ddim yn dweud celwydd. Felly gadewch lonydd iddo. Reit,

gawn ni fynd adre nawr neu ydych chi'n mynd i arestio'r
ddau ohonon ni?'

Chwifiodd y Ditectif Sarjant Watcyn ei law tuag at y
drws a cherddodd Rhys a Siôn drwyddo.

Ar ôl holi Rhys a Siôn, cafodd y Ditectif Sarjant Watcyn
a'r lleill gyfarfod arall i benderfynu beth i'w wneud.
Roedden nhw eisiau gwybod pam roedd Siôn wedi
gadael i Rhys fynd o'r tŷ mor hwyr y nos a pham roedd
e'n chwarae wrth yr arhosfan drwy'r amser. Roedden
nhw eisiau i Miss Caradog ddweud sut fachgen oedd
e yn yr ysgol. Gwnaethon nhw hyd yn oed holi Anwen
Beic amdano. Yr unig un wnaethon nhw ddim ei holi
am Rhys oedd Rhys ei hun.

Yn yr ysgol, chwarddodd y plant am ei ben, yn
enwedig Connor Collins, Penbwl a Delaney. Dechreuon
nhw alw 'Gwallgofddyn' arno am ei fod e'n mynd allan
liw nos i ddringo cerrig. Dim ond Anwen gadwodd yn
ffyddlon i Rhys. Byddai hi'n cwrdd ag e wrth yr arhosfan
a bydden nhw'n siarad am beth ddigwyddodd.
Dywedodd hi wrth Rhys ei bod hi wedi sôn wrth bawb
ei fod e'n dweud y gwir, ond nad oedden nhw'n ei
chredu hithau chwaith.

Ond digwyddodd un peth da i Rhys, er hynny. Ar y
diwrnod roedd e i fod i dalu'r decpunt i griw Connor

Collins, wnaeth e ddim talu. Dywedodd e wrth Connor nad oedd yr arian ganddo, er bod Mrs Prydderch wedi rhoi decpunt iddo. Aeth criw Connor Collins ar ôl Rhys yn ystod amser egwyl a'i gornelu y tu ôl i'r bloc gwyddoniaeth. Dywedon nhw y bydden nhw'n rhoi hemad iddo, ond rhywsut, ar ôl yr helynt gyda'r Sbanerwyr, y ddraig uwchsonig a brwydr y Garreg Las, doedd Rhys ddim yn teimlo'n ofnus. Felly pan gafodd ei wthio gan Delaney dyma Rhys yn ei wthio fe'n ôl, pan geisiodd Penbwl ei fwrw dyma Rhys yn gwyro tuag yn ôl cyn llwyddo i'w ddyrnu yn ei wyneb – yn union rhwng ei lygaid – a phan ddywedodd Collins y byddai'n dilyn Rhys adref ac yn ymosod arno fan 'na, chwerthin wnaeth Rhys a dweud y byddai Collins yn ffindio'i hunan ar waelod y twll lle roedd y garreg yn arfer bod, gyda'r garreg ar ei ben. Dywedodd Rhys taw *nhw* oedd y rhai a ddylai fod yn poeni o hyn ymlaen. Wnaethon nhw ddim rhoi'r gorau i alw 'Gwallgofddyn' arno, ond ddaethon nhw ddim ar ei ôl a mynnu arian ganddo byth eto.

O dipyn i beth, dechreuodd pobl eraill ddangos diddordeb yn Rhys ac yn yr hyn a oedd ganddo i'w ddweud, ac roedden nhw eisiau siarad ag e. Nid dim ond y plant yn yr ysgol, chwaith. Roedd y garreg anferth, a safai wrth ochr twll a oedd hyd yn oed yn fwy, ar bwys yr arhosfan, wedi troi'n rhywbeth roedd pobl eisiau stopio i'w weld os nad oedden nhw ar frys mawr – bron fel rhywbeth fyddai'n denu twristiaid.

Wrth i'r wythnosau fynd yn eu blaenau, nid Wdig na Dafi na'r Tylwyth Drwg a'u tebyg fyddai'n torri ar ei draws bellach wrth iddo chwarae yn yr arhosfan, ond pobl go iawn. Bydden nhw'n stopio'u ceir yn ymyl yr arhosfan ac yn neidio allan i dynnu hun-lun o flaen y garreg, cyn gyrru i ffwrdd.

Weithiau, bron fel petaen nhw'n gorfod gwneud yn hollol siŵr mai'r garreg ugain troedfedd wrth ochr yr arhosfan oedd yr un iawn, bydden nhw'n gofyn i Rhys wrth iddo chwarae â'r graean a'r meini bach: 'Ai hon yw'r garreg?'

'Ie siŵr,' byddai'n ateb. 'Ond nid un hudol yw hi, cofiwch. Daeth i fan hyn ar hap a damwain.'

Roedd hyd yn oed stori newyddion amdani ar dudalen naw y papur lleol. 'Y Garreg Fawr: dim atebion gan y Cyngor' oedd y pennawd. Sôn roedd y stori fod y dyn oedd yn gofalu am y ffyrdd yn methu dweud pam roedd ei ddynion wedi agor twll yn y ddaear a thynnu'r garreg allan. 'Does gennyn ni ddim gwybodaeth,' meddai, 'mae'n ddirgelwch llwyr.'

Doedd hyd yn oed y brodyr Williams o gwmni Bysiau'r Brodyr Williams ddim yn gallu taflu goleuni ar y mater. 'Rydyn ni'n berffaith siŵr na fyddai carreg mor fawr â honno'n gallu ffitio yn un o'n bysiau ni,' medden nhw.

Ond wrth i'r misoedd fynd yn eu blaenau, daeth llai a llai o bobl i'r arhosfan. Roedd y garreg mor fawr â deinosor ac roedd y twll mor fawr â thŷ deinosor – ond cyfrinach Anwen a Rhys oedd y stori y tu ôl iddyn nhw erbyn hyn.

'Dw i ddim yn credu,' meddai Anwen un diwrnod, 'fod pobl yn ei deall hi … felly dydyn nhw ddim yn ei gweld hi.'

Dyna'r diwrnod y daeth y weithwraig gymdeithasol i dŷ Rhys.

Roedd ei dad wedi bod yn poeni'n ofnadwy ac wedi glanhau'r tŷ nes ei fod fel pìn mewn papur. Gwariodd Rhys y decpunt yn yr archfarchnad er mwyn prynu clytiau tynnu llwch a phethau i roi sglein ar y dodrefn a'r lloriau fel bod y tŷ cyfan yn disgleirio o'r top i'r gwaelod. Bu Siôn yn achwyn, wrth iddo sgwrio'r lloriau a glanhau'r ffenestri, nad oedd arno eisiau gweithwraig gymdeithasol yn hwpo'i phig i'w fusnes – yn enwedig un o'r enw Roxy.

'Pa fath o enw yw hwnna?' cwynodd. 'Dw i ddim yn gallu cymryd ordors gan rywun ag enw fel Roxy.'

Pan gyrhaeddodd Roxy awgrymodd Rhys y dylai ei dad fynd i wneud paned o goffi iddi. Doedd hi ddim mor ddrwg â hynny. Roedd hi wedi dod i wneud yn siŵr bod Rhys yn iawn. A hyd y gallai Roxy weld, mi oedd e. Dywedodd hi wrth Siôn fod dychymyg byw gan Rhys; dywedodd hi hefyd y byddai ei freuddwydio a'i storïau'n siŵr o fynd yn llai wrth iddo dyfu'n hŷn ac na ddylai boeni amdano. Roedd hi'n llawn edmygedd o'r ffordd roedd Siôn yn helpu Rhys i ddarllen. Dywedodd ei bod hi'n meddwl bod eu bwthyn yn hyfryd a soniodd hi fod Miss Caradog yn yr ysgol wedi dweud bod Rhys yn dod yn ei flaen yn dda gyda'i ddarllen.

Wrth iddi adael, gwelodd Roxy fod rhywbeth ar y bwrdd yn ymyl y drws ffrynt. Cododd hi un o hen dapiau Siôn.

'Ydych chi'n hoffi Elvis?' gofynnodd Siôn. 'Dw i'n …'

'Waw,' meddai Roxy, gan droi'r tâp o gwmpas yn ei llaw. 'Mae hwn mor *retro*. Mae'n wych. Oes llawer o rai eraill gennych chi?'

'Maen nhw i gyd gen i,' atebodd Siôn, 'Dw i'n …'

Ond torrodd hi ar ei draws unwaith eto. 'Dw i'n dwlu ar bethau fel hyn – hen gasetiau a finyl. Dw i ddim yn hoff iawn o stwff Elvis, cofiwch. Mae'n well gen i fiwsig hapus.'

Cododd Rhys ei ben ac edrych ar Siôn. Gwelodd e wyneb ei dad yn newid o flaen ei lygaid. Roedd Siôn ar fin gwgu a dweud mai Elvis oedd y gorau, y Brenin, a'i fod wedi canu llwyth o ganeuon hapus, pan gofiodd e'r gân arall. Gwyliodd Rhys ei dad yn sibrwd y geiriau – 'Are you lonesome tonight?' – cyn siglo'i ben. Trawodd Siôn ei dalcen â'i law. 'Na, rydych chi'n hollol iawn,' meddai. 'Dw i'n hoffi pob math o fiwsig. On'd ydw i, Rhys?'

Nodiodd Rhys, er nad oedd e erioed wedi clywed ei dad yn chwarae dim byd arall ond Elvis.

Ar ôl i'r weithwraig gymdeithasol fynd trodd Siôn at Rhys a dweud â gwên ar ei wyneb: 'Mae'r Roxy 'na'n eitha neis, on'd yw hi?'

Roedd popeth i'w weld yn dod yn ôl i'r drefn arferol, neu yn hytrach, yn well na'r drefn arferol, achos doedd yr hen 'arferol' ddim yn dda o gwbl. A dweud y gwir, meddyliodd Rhys, roedd popeth yn wahanol. Roedd e wedi gwneud ffrindiau yn yr ysgol, doedd neb yn ei fwlio mwyach, roedd ei ddarllen yn gwella, roedd ei dad wedi rhoi'r gorau i yfed cymaint o ganiau o gwrw, a rhoddodd Roxy lwyth o fiwsig newydd iddo fel nad oedd e'n gorfod gwrando ar ganeuon Elvis drwy'r amser.

Ond roedd un peth yn dal i flino Rhys. Hwn oedd y peth a ddangosodd fod Rhys ac Anwen yn iawn. Hwn oedd y peth a ddaliodd y ddau ohonyn nhw ynghyd. Roedd e o flaen llygaid pawb. Roedd e mor fawr â bws ac eto, yn rhyfedd iawn, doedd dim llawer o bobl yn ei weld. Y peth hwn oedd y garreg. Os rhywbeth, meddyliodd Rhys, wrth iddo aros am y bws ysgol, roedd y garreg yn tyfu'n fwy – yn sefyll yn uwch na'r arhosfan, gan ei guddio rhag yr haul tra bod y twll mawr wrth ei hochr yn llenwi â dŵr glaw a phethau marw.

19 Y Brenin

EFALLAI AM nad oedd neb yn gwybod o ble y daethai, ac efallai am nad oedd hi'n gwneud niwed i neb, dechreuodd pobl roi'r gorau i siarad am y garreg ryfedd. Mae'n bosib bod hyn wedi digwydd am nad oedden nhw'n hoffi'r ffaith eu bod nhw'n methu esbonio o ble roedd hi wedi dod a sut roedd hi wedi ymddangos yno'n sydyn reit. Bob tro y byddai dieithryn yn holi am y garreg anferth a safai wrth ochr yr arhosfan unig, bydden nhw'n dweud taw 'maen hir' oedd e cyn newid y pwnc yn gyflym. Cyn bo hir, daeth pawb i gredu bod y garreg wedi bod yno erioed.

Pawb ond Rhys.

Erbyn hyn, ceisiodd Rhys gadw draw oddi wrth yr arhosfan. Ceisiodd gyrraedd bron yr un pryd yn union â'r bws ac, os oedd y bws yn hwyr, byddai'n aros yr ochr arall i'r ffordd ar bwys y Lôn Droellog. Fyddai fe byth yn mynd *i mewn* i'r arhosfan i chwarae â'r graean a'r meini bach. Ambell ddiwrnod, byddai'n cerdded i ben y lôn, yn eistedd ar y gwair gyferbyn ac edrych ar yr arhosfan, y garreg, y twll a gwylio'r frân yn gwibio rhyngddyn nhw, gan geisio deall y cyfan. Byddai'n cofio Wdig a byddai'n syllu ar Dafi yn sefyll ym mhen draw'r cae, a byddai'n ceisio atgoffa ei hun nad breuddwyd fu popeth. Roedd y garreg yn profi hynny.

Ac roedd Anwen yn ei brofi hefyd.

Un noson, wrth i'r haf dynnu tua'r diwedd, aeth Anwen i eistedd gyda Rhys yn y gwair tal ym mhen draw'r Lôn Droellog, gan wylio'r arhosfan.

'Mae'n newid bob dydd. Mae'n tyfu'n fwy,' meddai Anwen.

'Efallai fod hynny'n iawn,' meddai Rhys.

'Dyw e *ddim* yn iawn,' meddai Anwen.

'Dw i'n gwbod,' meddai Rhys.

Syllodd y ddau ohonyn nhw ar y garreg.

'Beth wyt ti'n meddwl sy'n mynd i ddigwydd?' gofynnodd Anwen.

'Pwy a ŵyr?' atebodd Rhys, gan graffu ar y garreg anferth, dywyll yn sefyll yn dal wrth ochr yr arhosfan.

'Mae fel bys anferthol yn pwyntio tua'r awyr,' meddai Anwen.

Edrychodd Rhys ac Anwen i fyny ar yr awyr a oedd yn llwyd fel lliw llechen.

'Mae'n oer,' meddai Rhys a chrynu. 'Mae'r cymylau'n rhy isel i allu gweld unrhyw awyrennau.'

'Wyt ti'n meddwl eu bod nhw'n gwylio – Wdig a'r lleill?' gofynnodd Anwen.

Nodiodd Rhys. 'Maen nhw i gyd yma, yn cuddio yn y

cloddiau, yn tyllu dan y ddaear, yn hongian yn yr awyr – ac rydyn ni'n gwneud yr un peth. Dydyn ni ddim mor wahanol iddyn nhw. Yn gwylio hen arhosfan twp.'

Hedfanodd y frân o do'r arhosfan draw i'r garreg a hogi ei phig arni.

'Mae'n wallgof, on'd yw hi?' meddai Anwen. 'Dere. Rhoia i lifft iti ar y beic.'

Doedd Rhys ddim eisiau mynd. Doedd e ddim yn gallu rhoi'r gorau i feddwl am yr arhosfan. Gwyddai fod rhywbeth yn mynd i ddigwydd. Gallai ei deimlo. 'Mae'n oer,' meddai. Roedd gwynt main yn dechrau codi, gan chwythu i lawr o gyfeiriad yr Hen Fynyddoedd.

'Mae'r haf wedi dod i ben,' meddai Anwen, 'felly dere. Neidia ar gefn y beic. Dw i ddim yn mynd i dy adael di fan hyn drwy'r nos yn syllu ar arhosfan gwag. Mae hwnna'n beth twp i'w wneud.'

Doedd Rhys ddim eisiau mynd, ond neidiodd ar gefn ei beic a gadael iddi fynd ag e i fyny'r lôn, oherwydd nad oedd e am boeni Anwen. Y gwir amdani oedd, bob dydd neu bob nos, p'un ai ar ddi-hun neu'n cysgu'n braf, y cyfan oedd ar ei feddwl oedd yr arhosfan. Ar un adeg, yr arhosfan oedd yr unig fan lle byddai'n teimlo'n hapus. Erbyn hyn, dyna'r unig le fyddai'n gwneud iddo deimlo'n drist. Ond roedd yn waeth na thrist. Roedd yr arhosfan yn codi ofn arno bellach – ofn o'i gorun i'w sodlau. Roedd pŵer y garreg, yr arhosfan a'r stori yn codi ofn ar Rhys. Doedd e ddim yn gallu symud y lle o'i ben. Roedd e'n breuddwydio am yr arhosfan, am y Sbanerwyr a'r Tylwyth Drwg, ac am Wdig. Byddai'n dihuno yn chwys drabŵd, gan feddwl am y Brenin a sut roedd e eisiau dinistrio'r bydysawd. Byddai'n edrych trwy ffenest ei ystafell wely i wneud yn siŵr nad oedd rhyw ellyll yn gorwedd ar y sil. Y peth gwaethaf oedd y gân. Roedd yn llenwi ei freuddwydion a'i ddyddiau ag ofn. Er nad oedd ei dad wedi chwarae caneuon Elvis ers wythnosau, ac yn sicr doedd e ddim wedi canu'r gân honno, roedd Rhys yn dal i'w chlywed hi. Byddai'n dihuno yng nghanol y nos, a chrynu gan ofn, a byddai'n clywed Elvis yn canu, 'Are you lonesome tonight?'

Wrth gwrs, ni allai sôn am hyn wrth neb. Ond bob hyn a hyn, byddai Rhys yn dechrau canu'r gân – fel petai e'n ei hoffi. Roedd e'n ei chasáu.

'Mae'r garreg yn golygu bod popeth welson ni wedi digwydd go iawn,' meddai Anwen.

Meddyliodd Rhys am ychydig.

Dydd Sul oedd hi – diwrnod i'r brenin. Roedd Siôn a Rhys wedi mynd i'r dref i gwrdd â Roxy am ginio dydd Sul yn y Cadfridog Picton. Ar y ffordd adref, gwelodd Rhys a'i dad Anwen Beic yn eistedd ar y glaswellt ym mhen draw'r Lôn Droellog. Roedd hi'n gwylio'r arhosfan.

'Dyna un fach od yw hi,' meddai Siôn wrth arafu'r car, 'yn gwylio'r arhosfan fel 'na. Wyt ti'n bwriadu ymuno â hi?'

Nodiodd Rhys. Camodd e allan o'r car ac aeth i eistedd wrth ochr Anwen. Wnaeth hi ddim troi ei phen i edrych arno; gwyliodd y ddau mewn tawelwch. Gallai Rhys synhwyro rhywbeth. Edrychodd i fyny'r ffordd. Gallai weld bws glas golau'n teithio ar hyd yr Ail Riw a Mr Dickinson yn gyrru'r 437 i Aberteifi, yr unig wasanaeth bws ar ddydd Sul. Pwniodd e Anwen yn ysgafn â'i benelin.

Llwyddodd y bws i hoelio eu sylw wrth iddo ddod yn nes. Edrychai fel petai'n symud yn boenus o araf. Wrth iddo deithio i lawr y Rhiw Gyntaf, gallai Rhys weld bod rhywbeth od yn ei gylch. Efallai ei fod yn ddiwrnod anghyffredin o heulog, ond edrychai'r bws yn fwy glas nag arfer – roedd e'n olau ac yn disgleirio, fel carreg werthfawr. Pwniodd Anwen Rhys â'i phenelin. Syllodd y ddau yn astud wrth i'r bws ddod yn nes ac yn nes gyda'r frân yn eistedd ar ei ben.

Yn sydyn, dyma'r frân yn rhoi sgrech. Doedd hi erioed wedi gwneud hynny o'r blaen.

Gallen nhw weld teithiwr ar y bws a hwnnw'n amlwg eisiau disgyn wrth yr arhosfan.

Syllodd Rhys wrth i Mr Dickinson wasgu ar y breciau a dechrau arafu'r cerbyd. Aeth ei geg yn sych wrth i'r bws glas arafu ac arafu nes ei fod yn edrych fel petai'n mynd fel malwoden. Ni allai Rhys nac Anwen dynnu eu llygaid oddi ar y cawr o gerbyd. Roedd e'n denu eu holl sylw wrth iddo lenwi'r ffordd, ei freciau'n hisian yn yr arafwch llawn diesel. Teimlodd Rhys law Anwen ar ei law yntau, a gafaelodd ynddi.

Edrychodd e ar Anwen. Roedd ei llygaid ar agor led y pen gan ofn, fel petai hi'n gwybod bod rhywbeth gwirioneddol ddrwg yn mynd i ddigwydd. Gallai glywed y breciau'n hisian o hyd. Doedd e ddim eisiau i'r bws arafu. Roedd e eisiau iddo gyflymu. Ond arafu oedd Mr Dickinson, yn ofalus ac yn ddiogel, fel y byddai bob tro.

'Dyma ni,' mwmiodd Rhys.

'Dw i'n gwbod,' meddai Anwen a chrynu. 'Nawr mae'n oer.'

Cusanodd yr awyr y cysgodion wrth i gymylau tywyll dagu'r goleuni. Byrlymodd y môr yn wyrdd ac yn llwyd, roedd y caeau'n llwyd a'r garreg bron yn ddu.

Ochneidiodd y bws glas wrth ddod i stop. Clywodd Anwen a Rhys y drysau hydrolig yn hisian ar agor a sŵn traed yn taro'r graean. Ond ni allen nhw weld y teithiwr o'r man lle roedden nhw, yr ochr arall i'r ffordd. Yna cododd Mr Dickinson ei law arnyn nhw a gadawodd y bws. Dyna pryd y daeth y teithiwr i'r golwg. Cerddodd i mewn i'r arhosfan a darllen yr amserlen cyn dod allan eto i fwrw golwg dros y caeau a chyffwrdd â'r garreg. Dyn tal oedd e ac roedd ganddo wallt trwchus du a sbectol dywyll anferth yn cuddio'i lygaid. Camodd e tuag atyn nhw yn ei esgidiau enfawr. Roedd ei ddillad yn hollol chwerthinllyd. Gwisgai siwt arian sgleiniog a throwsus â godreon llydan iawn, ac roedd ei goler wedi'i throi i fyny mor uchel nes ei bod yn cyffwrdd cefn ei ben.

Canodd Mr Dickinson ei gorn wrth i'r bws ddiflannu tua'r dref.

Pwyntiodd y dyn at Anwen a Rhys. 'Wel helô, bawb,' meddai mewn acen Americanaidd dew.

'E-Elvis!' meddai Rhys. 'Brenin roc a rôl.'

'Eich carreg chi yw hon?' gofynnodd y dieithryn, gan brocio'r garreg â'i fys.

'Mewn ffordd,' atebodd Rhys.

'Dw i wedi clywed eitha tipyn amdani,' meddai'r dyn. 'Gadewch imi ddweud pwy ydw i.' Llenwodd y dyn ei frest ag aer; roedd e siŵr o fod tua saith troedfedd o daldra.

'Elvis yw'r Brenin,' sibrydodd Rhys wrth Anwen. Roedd yr hunllef wrth yr arhosfan newydd gymryd tro annisgwyl. Crynodd Rhys wrth iddo sylweddoli bod Elvis wedi bod yn ei blagio – ar gasetiau yn y car, ble bynnag yr âi gyda'i dad – llais Elvis oedd e bob tro. Pryd bynnag yr aeth rhywbeth o'i le, roedd Elvis yno. Pwniodd y gân drwy ei ben. 'Are you lonesome tonight?'

'Fi yw'r Brenin,' meddai'r dyn. 'Ydych chi wedi bod yn cael fy negeseuon?'

Nodiodd Rhys yn drist wrth i'r dyn weiddi nerth ei ben a chamu i ganol y ffordd. 'Are you lonesome tonight?' Yna chwarddodd. Cododd y gwynt a chwythodd y coed. Dechreuodd llwyni eithin, a oedd mor sych â llwch, siglo'n ôl ac ymlaen. Chwarddodd y Brenin wrth iddo gerdded tuag atyn nhw, ei draed yn taro'r tarmac fel llaw yn taro wyneb. Safodd uwch eu pennau wrth i Anwen a Rhys godi ar eu traed.

'Wrth gwrs,' meddai, 'mae'n bosib eich bod chi'n fy nabod i wrth fy enw arall hefyd. Nid dim ond dynwared Elvis fydda i, chi'n gwbod.'

'P-pwy ydych chi?' gofynnodd Rhys.

'Y Brenin,' meddai'r Brenin. 'Brenin popeth. Braf cwrdd â ti, Rhys, a dy ffrind – Anwen.'

'Sut mae e'n gwbod?' sibrydodd Anwen.

Teimlodd Rhys fod pethau'n newid. Roedd e'n dechrau dod yn gyfarwydd â'r teimladau hyn – efallai mai dyna pam roedden nhw'n ei alw'n Unwaith Yn Y Pedwar Gwynt. Gallai deimlo'r cloddiau a'r caeau'n llenwi â llygaid, a'r rheiny'n gwylio pob symudiad. Teimlodd dawelwch yn disgyn dros y tir. Gwyddai fod Wdig ar bwys y glwyd, yn syllu arnyn nhw o dwll yn y ddaear. Roedd Doc Penfro a Kid Welly wedi rhuthro i fyny o'r dref ac roedden nhw'n sbio arnyn nhw o'r tu ôl i'r clawdd. Safai Mrs Prydderch a Rhiannon ar waelod y rhiw, gan edrych ar bawb trwy sbienddrych cryf. Roedd aelodau o'r Tylwyth Drwg yn llithro trwy bob crac yn y llwyni bach a mawr, gan siarad â'i gilydd yn y ffordd ryfedd honno oedd ganddyn nhw – fel gwenyn gwefreiddiol – a fry uwch eu pennau, ymhell y tu hwnt i'r cymylau, roedd sŵn fel rhu awyren, ond mewn gwirionedd sŵn draig Mrs Prydderch – Beth – oedd e wrth i honno hyrddio trwy'r stratosffer, gan fwrw golwg ar bopeth. Hwpodd Dafi ei ben trwy'r glwyd, ac roedd eraill, rhai newydd, yn llenwi'r cysgodion.

Hwn oedd y Brenin. Meistr y bydysawd. Hwn oedd diwedd y byd. Gallai'r Brenin gipio'r garreg a dod â'r cyfan i ben.

'Ydych chi'n gwbod pwy ydw i?' gofynnodd y Brenin.

'Chi yw'r Brenin,' meddai Rhys.

'Ydw, siŵr iawn, fy machgen i,' meddai'r Brenin, gan symud tuag at y garreg fawr. 'Mae chwant arna i dy ddiffodd di fel golau cannwyll. Wyt ti'n gwbod pa mor galed dw i wedi bod yn chwilio am y garreg yma?'

'Nac ydw,' atebodd Rhys.

'Dere nawr, dw i'n credu dy fod ti'n gwbod yn iawn,' meddai'r Brenin ac yntau'n disgleirio yn ei siwt arian. 'Dw i wedi bod yn chwilio am y Garreg Las am bron i bum mil o flynyddoedd, ac rwyt ti wedi bod yn ei chadw oddi wrtha i drwy gydol yr un amser yn union. Ti yw'r Unwaith Yn Y Pedwar Gwynt a gadwodd y garreg yma'n ôl yn y lle cynta – wel, mae dy sialens fach drosodd bellach.'

Cerddodd y Brenin draw at y garreg a rhoi ei law ar ei hochr. 'Nawr rwyt ti wedi colli. Heddiw yw'r diwrnod y bydd y byd yn dod i ben o'r diwedd.' Rhoddodd gledrau ei ddwy law ar y garreg. 'Dw i'n gallu teimlo'r pŵer,' sgrechiodd. 'Wyt ti?'

Rholiodd llais y Brenin drwy'r wlad gan wneud i gerrig glecian yn erbyn ei gilydd.

Nodiodd Rhys yn drist. Roedd y pŵer yn fawr – ac yn ddrwg. Nawr edrychai'r garreg mor ddu â glo.

Chwarddodd y Brenin a chododd ei freichiau ar led. 'Dw i wedi cael llond bol ar y lle 'ma. A dw i wedi blino ar bobl fel chi,' meddai gan bwyntio at Rhys ac Anwen.

Camodd Rhys i ganol y ffordd. Daliodd Anwen ei gwynt. Roedd hi'n gyfarwydd â gweld Rhys yn gwneud pethau gwallgof, ond roedd hyn yn wirion bost. Doedd dim gobaith yn y byd y gallai fod atebion ganddo y tro yma.

'Fi ac Anwen?' gofynnodd Rhys. 'Beth ydyn ni wedi'i wneud i'ch brifo chi?'

Chwarddodd y Brenin. 'Dw i'n golygu pawb a phopeth. Beth sy'n gwneud ichi feddwl fy mod i'n poeni amdanoch chi? Gyda'r garreg hon galla i gael gwared â phob un ohonoch chi.'

Trodd y Brenin ei gefn ar Rhys a cherddodd at y garreg. 'Gwych,' meddai. 'Dyw hi ddim mor las ag roeddwn i'n disgwyl, eto i gyd mae'n wych.' Chwarddodd y Brenin eto, gan daflu ei ben yn ôl. Taranodd ei lais ar draws y tir a'r môr gwyllt.

'Yr un anghywir yw hi,' meddai Rhys.

Edrychodd y Brenin i lawr ar Rhys. Plyciodd ei sbectol haul. 'Sut wyt ti'n gwbod pa garreg dw i eisiau cael gafael arni?' gofynnodd e, gan sythu'r sbectol haul ar ei drwyn.

'Rydych chi'n trio dod â phopeth i ben – mae angen y Garreg Las hudol arnoch chi,' atebodd Rhys.

'Eitha gwir,' cytunodd y Brenin. 'Dw i angen y garreg honno.'

'Ond nid honna yw hi, nid dyna'r garreg iawn,' meddai Rhys. 'Dim ond hen graig fawr yw honna; nid dyna'r Garreg Las. Yr unig reswm dewisais i honna oedd am ei bod mor fawr. Dydych chi ddim yn meddwl? Onid yw eich dwylo'n dangos ichi nad dyma'r garreg iawn?'

Gwthiodd y Brenin ei ddwylo o gwmpas y garreg, gan deimlo pob chwydd a phob tolc. Roedd Rhys yn llygad ei le – roedd y garreg yn farw.

Agorodd llygaid Anwen fel dwy soser. Camodd i ganol y ffordd a sefyll wrth ochr Rhys. Gallai Rhys weld Wdig yn sbio allan o'r ddaear nawr, ac roedd Doc Penfro a Kid Welly wedi mynd i sefyll ar bwys Dafi'r ddafad wrth y glwyd.

'Yn y twll yna mae'r Garreg Las hudol,' meddai Rhys a phwyntio at y twll. Cerddodd y Brenin at y twll, cyn dringo i mewn, braidd yn ansicr ar ei draed, ei esgidiau platfform yn llithro ar y pridd llac. Wrth iddo gerdded o gwmpas yn y slwtsh ar waelod y twll, mwmiai ynglŷn â faint o helynt roedd e'n mynd i'w achosi i'r byd ar ôl iddo ddod o hyd i'r Garreg Las go iawn.

Cododd y gwynt a dechreuodd cesair mor fawr â marblis sboncio ar y tarmac. Cripiodd Rhys ac Anwen yn nes at y garreg. Gwyddai Rhys taw hon oedd yr eiliad, yr eiliad y gallai achub y byd a chael gwared â'r holl ddrygioni. Plygodd y Brenin yn ei flaen er mwyn edrych ar waelod y twll. Prociodd e'r mwd â darn o goed. Roedd y gwynt yn chwythu mor gryf fel bod Rhys ac Anwen yn cael trafferth cysgodi y tu ôl i'r garreg.

'Mae'r Garreg Las i lawr fan 'na, ar waelod y twll,' gwaeddodd Rhys.

'Ble?' sgrechiodd y Brenin. Roedd e'n gandryll.

Rholiodd cymylau du ar draws y bryniau. Cododd corwyntoedd a cholofnau dŵr yng nghanol y môr chwyrlïog. Fflachiodd y mellt gan hollti'r awyr wrth i'r taranau ruo dros y byd.

Yna pwysodd Rhys ar y garreg ar ymyl y twll a gwthio nerth ei freichiau.

Symudodd. Daeth Anwen i'w helpu a gwthiodd y ddau ohonyn nhw.

'Gwthia!' gwaeddodd hi yn uwch na sŵn y cesair a rhu'r storm.

'Dw i *yn* gwthio!' sgrechiodd Rhys.

Trodd y cesair yn law ac, yn sydyn, roedd y ffordd fel afon. Ond dal i wthio'r garreg wnaethon nhw ac, ar ôl cael ei llacio gan y dŵr, fe ddechreuodd hi lithro.

Yn araf bach ac yn dawel, cwympodd yn ôl i mewn i'r twll. Gwelodd Rhys y Brenin yn troi wrth i'r graig anferth syrthio. Am eiliad, meddyliodd ei fod e wedi gweld y Brenin yn trawsnewid yn bilipala du ac arno smotiau arian, er mwyn ceisio hedfan allan o'r twll, ac yna'n chwilen, er mwyn sgrialu i ffwrdd. Ond beth

bynnag oedd siâp y Brenin, roedd yn rhy hwyr; cawsai ei garcharu yn y twll. Doedd dim sŵn i'w glywed ar ôl i'r garreg lanio'n glatsh ar y gwaelod – cafodd y Brenin ei ddal fel corcyn mewn potel. Diflannodd y storm ar unwaith.

Gwyliodd Rhys wrth i Wdig, Doc, Kid a phob un o'r lleill ddiflannu trwy'r cloddiau. Gwenodd.

'Da iawn, ti,' mwmiodd Wdig wrth iddo sgrialu mynd.

Cerddodd Rhys ac Anwen at y beic a dechrau ei wthio adref.

Edrychodd Rhys ar Anwen. 'Paid â sôn wrth neb am hyn,' meddai wrth i oleuni lifo drwy'r wlad.

'Iawn,' meddai Anwen. 'Fyddai neb yn ein credu ni beth bynnag. Ydy e'n farw?'

'Nac ydy, dw i ddim yn meddwl,' atebodd Rhys, 'ond ddaw e ddim allan o fan 'na am amser maith.'

20 Bythefnos yn ddiweddarach

CERDDODD RHYS ar hyd y Lôn Droellog, ei dafod yn cyffwrdd â'r losin coch wrth i hwnnw rolio o gwmpas ei geg. Pan gyrhaeddodd e ben draw'r lôn cafodd ei synnu gweld bod peiriant cloddio melyn wedi'i barcio wrth ochr yr arhosfan. Rhedodd draw i weld beth roedd y ddau ddyn yn eu siacedi melyn llachar a throwsus oren yn ei wneud.

Gwyliai'r frân, ei hadenydd glasddu wedi gwella'n llwyr erbyn hyn ar ôl cael eu llosgi. Syllai Dafi, ei drwyn wedi'i wthio trwy'r glwyd. Gwylio a wnâi Anwen hefyd a phwyso'i breichiau ar ei beic yn ymyl yr arhosfan.

'Mae'r dynion o'r Cyngor wedi dod i dacluso'r twll,' eglurodd Anwen. 'Ei lefelu'n iawn, fel na fydd neb yn gwbod ei fod e yno.'

Rholiodd Rhys y losin o gwmpas ei geg; roedd yn ei atgoffa o'r garreg yn y twll, yr un oedd yn cau'r bwlch rhwng y Brenin a'r byd. Gwenodd ar Anwen a mynd i sefyll wrth ei hochr.

'Jobyn da,' mwmiodd. 'Dw i'n falch bod y cyfan drosodd.'

Nodiodd Anwen wrth i'r dynion fwrw ymlaen â'u gwaith. Roedd un yn dal a'r llall yn fyrrach ac yn dew. Roedd ganddo fwstásh brown a llygaid brown trist. Dringodd yr un tal i mewn i'r peiriant cloddio a dechrau gollwng pridd i'r twll. Pwysodd yr un byr ar ei raw, gan ddweud wrth y llall beth i'w wneud.

Wrth i'r pridd hidlo i lawr ar ben y garreg anferth, gan wneud iddi ddiflannu'n araf bach, gofynnodd Rhys iddo'i hun tybed a oedd e mewn gwirionedd yn edrych ar y Garreg Las hudol ac ai fe ac Anwen fyddai'r rhai olaf ar y ddaear i wybod ble roedd hi.

Cyrhaeddodd bws Rhys a sgrialodd Anwen bant i'r ysgol ar gefn ei beic. 'Beta i taw fi fydd yn cyrraedd gyntaf,' gwaeddodd hi. Bws rhif 24 oedd e, ar lwybr y 971 o hyd. Gloria oedd yn gyrru. Croesawodd hi Rhys â'i gwên arferol ac aeth e i eistedd y tu ôl iddi.

Wrth iddyn nhw yrru i ffwrdd, trodd Rhys a gwylio'r dynion â'r peiriant cloddio. Cododd yr un â'r rhaw ei law a chwifio. Gallai Rhys dyngu ei fod e'n chwerthin. Ynteu gweiddi ar y dyn arall oedd e – yr un yn y peiriant cloddio – a'i annog i siapo'i stwmps? Edrychai'r blewiach ar ei ên fel pupur du ar bwdin reis.